新潮文庫

ライオンハート

恩田　陸著

新潮社版

7358

ライオンハート◆目次

ライオンハート

エアハート嬢の到着

Miss Earhart's Arriva

193
Oil on canva
Walter Richard Sickert (1860-194

プロムナード

一九七八年　ロンドン

十一月二十七日。

ロンドン大学法学部名誉教授エドワード・ネイサンと連絡が取れなくなって二週間が経《た》つ。

みぞれ混じりの雨の中、同僚のチャールズ・モリスと大学職員の二人は、ネイサンの住居であるケンジントン・ガーデンズの西のこぢんまりした家に警官とともに踏み込んだ。ネイサンは、数年前に妻を亡《な》くしてからというもの、近くにある家を娘夫婦に譲り、自分はこちらに移り住んだのである。

確かにここ数日先生の姿を見ていなかったという管理人は、片手に持ったスプーンを突っ込んだままのマグカップをかちゃかちゃ言わせながら、大慌《おおあわ》てでネイサンの家の鍵《かぎ》を探し回った。カップの中身は紅茶らしいが、モリスが近付くとぷんと強い酒が薫った。

何度も鍵を間違えながら管理人が開けた家の中は、驚くほどきちんと整頓《せいとん》され、居住者の気配を感じさせないほどさっぱりとしていた。

綺麗《きれい》好きで物静かなエドワードらしい。が、それにしても綺麗すぎると思うのは気のせいだろうか。

「エドワード」

モリスはひんやりとした空気に問い掛けてみた。声はぼそりと暗い階段とその上の天井に吸い込まれてゆき、返ってくるものはない。コートを濡《ぬ》らした二人の警官が、てきぱきとドアを開けて地階のダイニングやバスルームをのぞきこんでいるが、何か異変のあった気配はない。

モリスはどことなくコッカースパニエルに似た、困惑顔の職員と顔を見合わせた。

「書斎は上かな」

「たぶんそうでしょう」

渋る職員を促すように、モリスは上の階を目指した。どかどかという自分たちの足音に、『もうちょっと静かに歩いてくれないか』と苦笑しているエドワードの顔が見えるような気がした。いつもどこか淋《さび》しそうに笑う男だったな、と考えてから、自分が過去形にしていることに後ろめたさを覚えた。

中二階にあるベッドルームもきちんとしていた。モリスは、寝返りすらも打たないのではないかと思われるほど、かすかな窪《くぼ》みしかないベッドを見た時に、初めて不吉なものを感じた。まるで自分が存在した痕跡《こんせき》を残したくないかのようだ――いつでも荷物をまとめて姿を消せるように準備をしていたかのようだ。まさか、あの静かな男が、過去に何かの犯罪にかかわっていたということがあるだろうか？

一番上の、書斎と思《おぼ》しき部屋のドアは閉じていた。

「エドワード。私だ。モリスだ。そこにいるのかい？」

モリスはもう一度声を掛けた。返事はなく、人の気配もない。モリスはドアノブに手を掛けたが、ドアには鍵が掛かっていた。目の前で拒絶をされたようで、なんとなくぎょっとする。モリスたちは警官の後ろからこっそりこちらをのぞきこんでいた管理人を振り返った。赤ら顔の小男は、反射的に首をすくめる。

「この部屋の鍵は？」

モリスが鋭く尋ねると、男は慌てふためいたように、古いキーホルダーにぶらさがっているたくさんの鍵をかちゃかちゃやりだした。手が震えている。ただ徒《いたずら》に音をたてているとしか思えない右往左往ぶりに業《ごう》を煮やして、モリスは男からキーホルダーを取り上げると、ドアの鍵穴に近いと思われるサイズの鍵を手早く順番に差し込んでいった。

ふと、古いキーホルダーの磨きこまれた長方形の板に刻まれた紋章が目に入った。奇妙な紋章だな——黒くすり減った紋章は、見づらかった。楯《たて》を挟んで、一角獣と、もう一つ反対側にあるのはなんだ？

ちらっとそんなことを考えた時、かちっという澄んだ音をたてて鍵が開いた。

思いがけなくスッと扉が開いた。

ほのかな甘い香り。初夏の薔薇《ばら》のつぼみのような。

心のどこかで最悪の事態を覚悟していたのだが、部屋は空っぽだった。

肩すかしをくらったように、彼等は小さな唸《うな》り声を上げた。

小さな部屋だったが、その部屋だけは人間の気配が濃厚だった。

机に向かって斜めに置かれた肘《ひじ》掛け椅子《いす》。尻《しり》の部分のビロードが、擦り切れて白くなっていた。チェックの膝《ひざ》掛け。緑色のカーディガン。椅子の足元には、ばらばらの方向を向いた赤いスリッパが置かれていた。

机の上には眼鏡。万年筆。書きかけの手紙。白いカップとソーサー。冷めた紅茶。

ローズ・ティー。さっき一瞬感じた香りの正体はこれか。

モリスはそっとカップに鼻を近付けた。

「――どういうことだ、これは」

警官の一人が気味悪そうに部屋の中を見回した。

「まるで、この部屋から消えちまったみたいじゃないか」

部屋に調度は少なかった。ただ、壁に複製画と見られる小さな五枚の絵が飾ってあった。時代はさまざまなようだし、特に共通点は見当らない。有名な絵も含まれているようだ。はて、あの男は絵が好きだったろうか。モリスはしげしげと絵を眺めた。

ふと、椅子の陰にふわりとハンカチーフが落ちているのに気付いた。

白いレースのハンカチーフ。

from E. to E. with love

優雅な飾り文字の縫い取りが入っているのが見える。エドワードのものだろう。

「どういう意味でしょう」

警官と職員が机の上にかがみこんでいた。モリスも近付いてのぞきこむ。

小さな紋章の入った便箋《びんせん》に、ぽつりと単語が書かれていた。エドワードの筆跡らしい。モリスはその紋章が気になった。さっき見た紋章に似ているような。一角獣と対になっているこれは、なんだろう？　女が鎌《かま》を持っているところかな？

「誰かの渾名《あだな》か何かでしょうか」

モリスは一行だけ書き付けられた便箋に視線を向けた。

LIONHEART

「固有名詞かな」

「それとも、小説か何かの題名でしょうか」

「エドワードが小説を書いていたという話は聞いてないな。ロマンチックな男だったのは事実だが」

「どうしましょう、先生」

「お嬢さんに連絡を取るのが先だな」

モリスは小さな張出窓から外を見た。

外界はひっそりとした沈黙に覆《おお》われていた。みぞれ混じりの雨は、いつのまにか雪に変わっていた。

エアハート嬢の到着

一九三二年　ロンドン近郊

さっきから嫌な風が吹いていたが、ぽつりと最初の雨が頬《ほお》に当たった。

とうとう降り出したか。

彼は、長い髪の毛がしつこく目に入ろうとするのを無意識に右手で払いながら、左手でコートのポケットを探っていたが、もう煙草《たばこ》が終わっていたことを思い出し、ポケットの中でぎゅっと拳《こぶし》を作るにとどめた。

ハンワース・エア・パークには大変な数の群衆が押しかけていた。銀色の潜望鏡のようなフラッシュの柱をうろうろさせている『デイリー』の記者たちの姿もちらほら見える。みんな空模様が荒れるのを覚悟していると見え、だだっぴろい広場は見渡す限りゴム引きの灰色のコートと帽子で埋まっている。

彼は、暗い色の瞳《ひとみ》に何の表情も浮かべず、その場にじっと立っていたが、既にこの場所に来たことを後悔し始めている自分に気付いた。

なんでこんな場所に来てしまったんだろう。人恋しくなったのだろうか？　この期《ご》に及んで？

集まった人々は、何かを期待するようなてらてら光る顔で世間話に興じていた。そこここで小さな渦を描くようにゆらゆらと動き回っている。

自分だけが異物のようだ。離れたところから見たら、自分だけが煤《すす》けた違う色に見えるのではないだろうか。

声高《こわだか》に話す人々。期待と興奮に満ちた熱気が、くぐもった雨と油の匂《にお》いとともに彼を取り囲んでいた。嫌な匂いだ。無責任な浮かれ騒ぎの匂い。それには、やり場のない鬱屈《うっくつ》したエネルギーと、目先の刺激を求める刹那《せつな》的な欲望と、何かあったら一気に燃え出しそうな物騒な衝動とが渦巻いているように思えた。

そうだ。大変なのは俺だけじゃない。誰もがそうなのだ。何を今更。分かり切ったことだ。

彼は自嘲《じちょう》したかったが、もはや自分の顔は笑うという表情すら忘れてしまっているようで、しばらく使っていない筋肉がひきつったのを感じただけだった。筋肉がひきつると、ここ数日剃《そ》っていなかった髭《ひげ》が動くのを感じた。さぞかしひどい人相になってるだろうな。そう考えたとたん、パッとあの時のメアリの着飾った鮮やかな服、見下したような視線が脳裏に蘇《よみがえ》って、胸がずきっと痛んだ。ばか、やめろ。忘れたはずなのに。

けたたましい笑い声が耳を打った。横の方で、髭を生やした羽振りのよさそうな中年男が、身体《からだ》を反らして大笑いをしている。その笑い声が彼の神経を逆撫《さかな》でする。彼は綺麗に揃《そろ》えられた赤い髭を強く憎んだ。ますます人数は増えているみたいだ。どこからこんなに溢《あふ》れてくるのだろう。

群衆は叫んでいる、浮かれている。みんなが待っている。暗い雲の向こうから、たった一人の女がやってくるのを待っているのだ。海の向こうから飛んできた美しい女、鉄の塊に乗って空を飛んでくる一人の女を。

「それでも、やっぱりイワンの連中よりはファシスト党の方がまだましさ」

「本気で言ってるのか？　俺はそうは思わんな。あのイタリア男は虚勢を張るタイプだ。ああいう小心者がいちばん危ないんだぜ。俺はあの男は好かん」

ぞろぞろ歩きながら飛行場に集まってくる群衆の間をぬって、一人の少女がひょいと現れた。

黒いコートに黒の革靴。コートは上等のカシミアで、フードの下からふわふわした輝くような金髪が溢れている。青ざめた顔は小さく、灰色がかった碧色《みどりいろ》の瞳は恐ろしいほど真剣で、せわしなく周囲をきょろきょろ見回している。寒さのためか唇の色を失っているが、頰はピンク色に上気して、品のある美しい顔を彩《いろど》っていた。

次から次へと群衆は押し寄せる。誰もが好奇心で目を輝かせている。

みんな、遠くアメリカから飛んで来たアミリア・エアハートを見たいのだろう。あたしだって見たかった。もしかすると見られるかもしれない。金髪のショートカットに絹のスカーフ。ようこそ、レディー・リンディー。空を飛ぶのはどんな気持ちなのだろう。ツェッペリンよりも高く飛ぶのだろうか。さぞかしうるさいだろうに。飛行士たちは耳栓をするのかしら？　十時間以上も操縦桿《そうじゅうかん》を握っているとどうなるのだろう。揺れるのかしら。お尻は痛くならないのかしら。怖くないのかしら。淋しくないのかしら。それとも、そんなことを感じる暇もないのだろうか。

彼女は、本当はあまり飛行機が好きではなかった。記憶の底を、轟音《ごうおん》を立てて空を埋め尽くす黒い十字架の群れのような大編隊がちらっとよぎった。

あの時は空が真っ黒になって、次に真っ赤になったわ——

その記憶を慌《あわ》てて追い払い、少女はかすかに身震いした。その途端、息苦しくなって立ち止まり、こらえきれずに老人のようなくぐもった咳《せき》を繰り返す。

本当に？　本当に、この中に彼がいるのだろうか？

少女はさっきからどす黒い不安と共に頭の中に何度も浮かんでいた疑問をついに言葉にしてしまった。

それは恐ろしい疑問だった。苦労してここまでやってきたのに、全《すべ》てが無駄になってしまうことになる。これを逃したら、二度とチャンスは巡ってこない。そうすると、永遠にあたしは――

じわじわと焦燥が背中をのぼってくる。思わず涙ぐみそうになりながら、少女は人込みを押し分け、懸命に男たちの顔をのぞきこんでいた。

記憶違いだったらどうしよう？　いや、確かに彼はそう言ったのだ。アミリア・エアハートがブラックプールから移動してきたその日、この場所にいたと。一人で彼女が来るのをぼんやり待っていたと。

少女は自分に言い聞かせた。間違えるはずはない。彼は丁寧に説明してくれた。あたしとの約束を守ってくれたのだ。

それでも、疲れと焦《あせ》りはじりじりと彼女を消耗させていた。いつ果てるとも知れぬ騒がしい人の波はとぎれる気配がない。香水や髪の油、煙草やウイスキーの匂い、雨に濡れたコートの匂い、湿った革の匂いが彼女を滅入《めい》らせる。もし彼がこの中を歩き回っていたらどうなるのだろう。互いにうろうろしていたのでは、ますます会える確率は低くなる。それでなくともあたしは背の低い痩《や》せっぽちの女の子で、この人込みの中を移動するだけでへとへとなのだ。いちいち見上げて帽子の下の顔を確認するのも大変だ。この調子では何時間もかかってしまう。それまで持ちこたえることができるのだろうか。

「おや、お嬢ちゃん、一人なの？」

「どうしたの？　迷子かしら。この人込みじゃはぐれても分からないわね」

必死の形相で人々の顔を見上げている少女を見とがめて、気の良さそうな若いカップルが声を掛けた。少女は慌てて左右に首を振って群衆の中に逃げ込む。後ろで「あっ」「待って」という声がする。

危ない危ない。迷子だと思われて警官にでもつかまったら大変だわ。

離れたところで溜《た》め息をついたが、そのとたん、また喉《のど》の奥が息苦しくなった。どす黒い不安で背中が痛くなった。どうしよう。こんなところで。

少女はもはや青白さを通り越して、のっぺりした仮面のような表情で咳をしながらのろのろと歩いていた。靴にしみた雨に足が凍えて、爪先《つまさき》が痺《しび》れている。もう五月も終わりに近いというのに、なんて寒いのだろう。

考えないようにしていたが、実は、もう一つ重大な懸念《けねん》があった。自分が彼を目の前にした時にちゃんと見分けられるかという問題である。そう考えると、今まで以上に焦燥感はつのった。

もしかして、あたしは既に彼と擦れ違っていたのではないか。顔を合わせていてもそうと見分けられずに、見過ごしてしまっているのではないだろうか。彼の話では、あたしの知っている彼とはずいぶん様子が違うようだった。二十歳ぐらいで、すっきりとした背の高い男で、黒い髪に黒い瞳。こんな若者が、この場所にいったいどのくらいいるというのだろう。

足が沈みこんでいくような深い絶望を覚えた。絶対あたしには見つけられると、一目見たら必ず彼だと分かると信じていたのに。なんて甘かったのだろう。

喉の奥が苦くなった。鼻がつんとして、じわりと視界がぼやけてくる。

少女は立ち止まると、大儀そうにポケットから古びたコンパクトを取り出した。とうとう彼に会えると思うと、ゆうべは嬉《うれ》しくて眠れなかった。興奮したついでに、こっそりジェインの口紅を借りてきてしまった。ジェイン、今ごろ怒ってるかしら。

震える手でコンパクトを開くと、鏡にぽつぽつと雨が小さな筋を作った。青白い顔がこちらを見ている。落ち着くのよ。少女は慣れない手つきで口紅を塗った。

あ、ハンカチは大丈夫かしら。

少女は反対側のポケットに手を入れた。ハンカチはちゃんとそこに畳んでしまってあった。ハンカチの入っているポケットを押さえると、少しだけ落ち着いてくるのを感じた。

ふと、頭の中に柔らかなメロディーが流れてきた。

……Dropped from my Black Spitfire to my funeral barge,……

泣いてる時間はない。少しでも広く探し回るのだ。少女はごしごしと目をこすった。

「きみ、どうしたの？　おうちの人は？」

すぐ耳元で声を掛けられて、少女はびくっとした。

ガンクラブ・チェックの鳥打帽をかぶった、ひょろりとした男の子が立っていた。茶色のツイードのコートを着て身なりもよく、利発そうな栗色《くりいろ》の目は、彼が良い家の子供であることを物語っている。少年は、顔を上げた少女を正面から見てはっとすると、ちらりと恥ずかしげな表情になった。

「あ、今はちょっと、離れたところに」

少女はもごもごと口ごもった。

「こんなところに一人でいたら、揉《も》みくちゃにされて危ないよ。僕が連れていってあげよう。僕は、デイヴィッド」

少年は責任感の強そうなきりっとした顔を作ると、そう言った。二歳くらい上だろうか。どうやらこの良家の子息とおぼしき男の子は親の躾《しつけ》もいいらしく、青ざめた少女を見て年長者としての義務感に駆られたらしい。少女は慌てた。

「いいの、だいじょうぶ。いる場所は分かっているの」

「ここから移動するのは大変だよ。きみ、名前は？」

「エリザベスよ。ほんとうに、だいじょうぶ。心配してくれてありがとう」

少女は後退《あとずさ》りした。

「ねえ、きみ、ひょっとして具合が悪いんじゃない？」

少女の顔を見ていた少年はすっと少女の額に触れた。ぎょっとしたような顔になる。

「火傷《やけど》しそうに熱いよ。駄目だよ、こんなところにいたら肺炎になってしまうよ」

「平気よ。いつも高いの」

少女はおろおろしながらさらに後退りする。しかし、少年はいっそう責任感をかき立てられた顔で少女に迫る。

「僕のパパはお医者なんだ。その辺にいるはずだから呼んで来る。パパ！　パパ、来て！　病人なんだ」

少年が大声で叫ぶのを見て、少女は反対方向に駆け出した。

冗談じゃないわ。こんな邪魔が入るなんて。

背中を冷や汗が流れていた。熱い汗がたちまち冷たい悪寒《おかん》に変わっていく。頭ががんがんと痛んだ。それでも少女は足を止めなかった。かきわけかきわけひたすら遠くを目指す。

その時、なんの偶然か、さあっと人込みが切れ、先の方まで一筋の道ができたように見渡せた。

まあ、モーゼの前で海が分かれた時みたい。

頭の片隅でそんなことを考えた。

と、その一筋の道の先に、一人の男の背中が見えた。

少女は思わず立ち止まった。肩の力が抜け、心臓がどきどきしてくる。

広い背中だった。周りの群衆のほとんどが着ている同じ灰色のコートなのに、その背中だけが銀色に浮かび上がって見える。長めの黒髪が風に流されている。

彼だ。

今まで感じていた悪寒が、いっぺんに歓喜に変わった。

やっぱり、ここに来ていたのだ。見つけることができたのだ。

少女はよろけるように走りだした。

「エドワード」


エドワードは、その時、背後に何かの気配を感じた。

何だったのかは分からない。誰かに遠くで呼ばれたような、そんな感覚だった。

相変わらずの喧騒《けんそう》がざわざわと彼を取り巻いている。

まさかね。

彼は肩をすくめた。こんなところで知り合いに会うはずもない。こんなところで会うような知り合いもいない。

しかし、次の瞬間、やはり彼は背中に何かを感じていた。

なんの気なしに、後ろを振り向く。

その印象を何と説明すればいいのだろう――

一人の少女が、こちらに向かって来るのが見えた。輝くような小さな顔がぱっと目に入ったのだ。

最初、彼はそれが若い女に見えた。自分と同い年ぐらいの金髪の若い娘。白いドレスを着て走って来る美しい娘。娘の髪に、春のような陽光が当たっているのすら見えたような気がした。

が、改めて見ると、それは黒いコートを着た、小さな、十二歳くらいの少女だった。非常に美しい少女だが、ほんの一瞬前に見た幻影の娘とは少し顔が違っているような気もする。少女は、着膨《きぶく》れた群衆を押し退《の》け、苦労しながらこちらに進んできた。

それでも、彼はその少女が自分を目指してやってくるのだとは露《つゆ》ほども考えていなかった。こんな小さな娘が、一人でこんなところをうろついているとは。親はいったいどこにいるのだろう。見物に来てはぐれてしまったのだろうか。高級そうな服を着ているし、さぞいいところの娘だろうに。誘拐でもされたらどうする。彼はそんなことをぼんやりと考えただけだった。

「エドワード！」

少女がそう叫ぶのが聞こえた。エドワードはぎょっとした。

聞き違いだろうか？　でも、もしかするとこの群集の中には百人くらいエドワードがいるのかもしれない。

そう考えて、前に向き直ろうとした時、少女が目の前にやってきて、彼の腕にすがりついた。

「なっ。なんだ、いったい？　きみっ」

エドワードは仰天すると、慌てて少女から身体《からだ》を離した。

少女は息を切らしながら、じっとこちらを見上げている。灰色がかった碧色《みどりいろ》の瞳《ひとみ》は、かすかに涙ぐんでいるようだった。なんて気品のある顔をしているのだろう。顔の造作や輪郭や、フードから零《こぼ》れている金髪など、全てが内側から彼女が生まれつき持っている澄んだ光に照らされているようだった。こんな混じりけのない、余計な感情を拭《ぬぐ》い落としたような顔を見たのはいつ以来だろう。エドワードは、櫛《くし》も入れず、髭《ひげ》も剃《そ》っていない自分の姿を思い浮かべて恥ずかしくなった。そしてすぐに、そんな感情の残っている自分を激しく嫌悪した。

「会えないかと思ったわ。こんなにたくさん人がいるなんて思わなかったんですもの」

少女は震える声で呟《つぶや》いた。

こんなに近くで顔を見ても、どうやら彼女は自分が人違いをしているということに気付いていないらしい。聡明そうな顔をしているが、もしかすると思い込みの激しいタイプなのかもしれないぞ。

「きみ、きみね。人違いだよ。名前は同じみたいだけど」

エドワードは、少女に恥をかかせないように、なるべく優しい調子で話しかけた。

「あたしよ、エリザベスよ。今回は十二歳だから、とまどうかもしれないけど」

少女は信じ切ったような顔で、エドワードの目を見て話しかけてくる。

今回は？

少女の言葉が頭のどこかで引っ掛かったが、それどころではなかった。こんなに可《か》愛《わい》い少女に話しかけられるのは悪い気分ではないが、面倒な話になりそうな予感がした。親戚《しんせき》と待ち合わせでもしていたのだろうか。こんなところでそんな無謀なことをするとは思えないが。互いに顔を知らないとか。どうすれば納得してもらえるのだろう。本物のエドワードに見つかったら、今の自分の人相では、それこそ誘拐犯だと思われても仕方がない。

「エリザベス、僕はきみのエドワードじゃないよ。僕はきみのことを知らない。誰かと待ち合わせでもしてるのかい？　パパとママは？」

エドワードは嚙《か》んで含めるように、少女の碧の瞳を見ながら話した。

少女はハッとしたような表情になった。

やれやれ、気付いてくれたか。

ホッとしかけたところに、少女が口を開いた。

「そうだわ、あたし、会えたのが嬉しくって、すっかり忘れていたわ。あなたは、今日、初めてあたしに会ったんだったわね。ごめんなさい、気が付かなくて」

真面目《まじめ》な口調である。その大人びた声に、エドワードはあっけに取られた。なかなか頑固な娘のようだ。早く誰かの手に渡さなくては。

「そう、今日初めて会う男なんだね。よし、分かった。この集団の外側に、人込みを整理するために警官が来ているはずだ。僕がきいてみてあげよう。エドワード、だね？　どこのエドワードだい？」

エドワードは少女の肩に手を置いて、歩き出そうとした。が、少女は動かない。じっと彼を見てぽつりと呟く。

「エドワード・ネイサン」

ぎくりとした。

思わず振り向いて少女の顔を見る。少女は静かに彼を見ていた。

「なぜ僕の名前を」

「二十歳くらい。黒い髪、黒い瞳。静かで彫りの深い顔。背は高くて六フィートくらい」

　少女は彼を見つめたまま言葉を続けた。

　エドワードは怖くなった。何者なのだろう、この娘は。ほんの少し前まで心をひかれていた彼女の美しさが、急に禍々《まがまが》しいものに思えてきた。

「もう、大学はやめてしまったのね」

　少女はためらいがちに目を伏せながら呟いた。

　それを聞いたとたん、エドワードは態度を硬化させた。

「――チタウィック商会か」

　低い声でうめくように呟く。

「え？」

　今度は少女が不思議そうに顔を上げた。

「分かったぞ、チタウィック商会から回されてきたんだな。許せない、こんな小さな娘を使ってこっちの居場所を探すなんて」

「なんのことかしら？」

「そんなことまで知ってるのは奴等《やつら》しかいない。帰ってくれ、渡せるものは何もないんだ。うちからはもうさんざん絞り取ったじゃないか。今の僕には一ペニーだって払えやしない。そうさ、大学もやめた。何もない。こんなところまで来て。あとを付けてきたのか」

エドワードが目をぎらぎらさせて声を荒げるのを、少女はうろたえたように見守った。

「あたしは知らないわ。そんなところからあなたが大学をやめたことを聞いたんじゃない」

「じゃあ、誰から聞いたと言うんだ」

少女は逡巡《しゅんじゅん》した。

「なぜためらう。それを聞けば分かるはずだ。怒って悪かった、きみみたいな小さな子に大きな声を出して。誰なんだ。ひょっとして、大学関係者かい？　それともフレッドの店とか？」

尋ねているうちに、いろいろな可能性が頭に浮かんでくる。

「どれも違うわ」

「じゃあ誰だ。どこかの探偵社にでも雇われてるのか」

エドワードは横を向いている少女の耳に尋ねた。彼女は横を向いたまま小声で答える。

「——あなたからよ」

エドワードはあんぐりと口を開けた。

「僕？　そんなはずはない。僕はきみに会ったことは今までない。ましてや、話をしたことなどあるはずがない。どこかで、立ち聞きでもしていたのか？　それとも、手紙を？」

少女はあきらめたようにエドワードの顔を見ると、小さく首を振った。

「そうではないの。あたしは、歳《とし》を取ったあなたからその話を聞いたのよ」

少女は一語一語はっきりと話した。

一瞬、群衆の喧騒が遠ざかったような気がした。

エドワードは、少女の言葉の意味するところが分からず、ぽかんとした。

「え？」

彼女の言葉は聞き取れたのだけれども、思わず聞き返す。

少女は落ち着いた表情でエドワードを見上げた。

「これから四十五年ほど先に、あたしはあなたとロンドンで出会うの。あたしは仕事であなたを訪ねていき——あなたはあたしのことを知っていたわ。その時、今日のことを話してくれたのよ」

これから四十五年ほど先に。

隣の男の吸う煙草《たばこ》の強い匂《にお》いでエドワードは我に返った。

「どうだい、商売の方は」

「さっぱりだよ。二月以来、ピタリと何も入ってこなくなっちまった。あんなべらぼうな関税を掛けられたんじゃ、たまらないよ。いくら国内産業を助けるためとはいえ、こうもほそぼそした商いじゃ、干上がるのは時間の問題だね」

「どこも同じことをやってるじゃないか。みんな自分のうちの台所を守ろうと必死だからね——そもそも人のうちに口を出すべきじゃなかったんだ。一人勝ちしてたアメリカだってあのざまだ。政府はイギリス国民のことだけ考えていればいいのさ」

耳に入ってくる会話。自分が少女の話の内容を拒絶して、そちらに逃げているのだと気付いていた。しかし、少女は続けていた。

「あなたはロンドン大学の立派な先生になっていたわ。穏やかな瞳で、優しくて、素敵な人だった。きょとんとしているあたしに、ゆっくりと今日のことを話してくれた。あたしが覚えられるようにという配慮なのでしょうね。あたしがあなたに出会うのは、その時が最初だったから。おかげで、ちゃんと今日はあなたを見つけられた。これであなたにハンカチを渡すことができるわ」

エドワードはひきつった声で、かすかに笑った。

「まさか、きみは僕がそんな話を信じるとでも？」

少女はじっと黙り込んで彼を見つめた。

「ずいぶんと、突飛《とっぴ》な話だ。きみ、自分がどんな話をしてるか分かってるかい？　きみが想像力豊かなことは認めるよ。ヴァージニア・ウルフでも読んだんじゃないかい。『オーランドー』は僕も読んだけど」

少女はまだ彼を見つめている。どことなく、その目は何も知らずに遊ぶ子供を見守る母親の目を思わせた。その目を見ていると、エドワードは落ち着かない気分にさせられた。

何か自分は大きな間違いを犯しているのではないか。何か重大な事柄を忘れているのではないか。

エドワードは心に浮かんだ疑惑を振り払った。

いけないいけない、この子の思惑にはまりそうになっている。

「――ようこそ『レディー・リンディー』」

少女はぼそりと呟いた。

「明日の――五月二十三日付『デイリー・スケッチ』の見出しだわ。明日、それを見たら、あたしの言ったことを思い出して。その時は、あたしの話を信じてくれるかしら」

少女は辛抱強く話し続けた。

しかし、エドワードの頭は混乱するばかりである。それどころか、目の前の少女に対する恐怖が少しずつ頭をもたげはじめた。こんなに大勢の人間が周りにひしめいているのに、エドワードは、自分が一人きりであることを強く感じた。

ひょっとして、俺は幽霊を見ているのだろうか。どう考えても、こんなに身なりのいい美しい娘が一人でこんなところにいて、金も知己もないみすぼらしい男に近付いてくるなんてことは有り得ない。ようこそ、レディー・リンディーだと？　偉大なるアメリカの飛行家リンドバーグの息子が誘拐され殺されたのはごく最近の話だ。なんて恐ろしい。世界中が怒り、震え上がった。良家の娘が、こんなところを歩いているはずはない。昼間の飛行場で幽霊を見ている。それは奇妙な気分だ。ディケンズでもこんな設定は思いつかなかっただろう。一人ぽっちで恐怖に震えている一文無しの男。そうだ、そもそもこんな一文無しの男に近付いて、この少女にはいったいどんなメリットがあるというのだろう。誰かに使われているのか、単なる嘘《うそ》つきの娘なのか。

エドワードの頭の中には、いろいろな疑惑が激しく行き来していた。

少女は彼の混乱を見守るようにじっと立っていたが、ポケットから白いハンカチーフを取り出した。

彼に向かってすっと差し出す。

エドワードは問い掛けるように少女の顔を見た。

「これを持っていて。あなたが四十五年後にあたしにくれるはずだから」

「これを？」

「ええ、もともとこれはあなたがあたしにくれたものなの。ちゃんとイニシャルが入っているでしょう」

白いレースのハンカチーフ。高級そうなものだった。隅の方に縫い取りがある。

from E. to E. with love

「ね。エリザベスからエドワードへ。エドワードからエリザベスへ」

エドワードは夢でも見ているようにその縫い取りを眺めた。

もしかすると。

考えるのに疲れてぼんやりした頭に、ふと別の疑惑が湧《わ》き上がった。

もしかすると、俺はもう駄目なのかもしれない。今、ここで、もはや別の世界、自分の妄想の世界に足を踏み込みつつあるのかもしれない。

ここ数日、猫に見つかったドブネズミのように逃げ回っていた。管財人や取り立て人たちが行く先々に追いかけてきて、しまいには友人や知り合いも迷惑そうな顔を隠さなかった。忍耐強く誠実な父親が、一八九〇年代からこつこつと築き上げてきた小さな貿易会社は、大恐慌《きょうこう》のあと、たちまち行き詰まった。父が必死に金策に走り回ったものの、多くの銀行とともにあえなく潰《つぶ》れた。失意のうちに父が死に、もともと身体《からだ》が丈夫でない、おとなしい母は生活のために慣れない勤めに出たが、店で酔っ払いの乱闘に巻き込まれ、いかれた男に頭を蹴《け》られてあっという間に逝《い》ってしまった。それでなくとも、彼の三人の弟や妹を、大流行したスペイン風邪で短期間に立て続けに失ってからというもの、父母はエドワードに望みを託していたのだ。しかし、大学を続けることは不可能になり、それどころか雪だるまのように増えた父の負債は彼から全《すべ》てをむしりとっていた。このまま逃げ続け、流れ続けていたら、流れ者の炭坑夫か港湾労働者にでもなるしかない。そう考えただけでも、心が凍るような絶望と屈辱で胸が潰れそうになる。何も考えるな。何も感じるな。彼はそう念じ続けながら、ひたすら人目につかない場所を何日も歩き回っていたのである。

となると、この少女は自分の妄想が造りだしたのかもしれない。常軌を逸《いっ》した、現実からの逃避先にしてはなかなか可愛《かわい》らしい道案内を拵《こしら》えたじゃないか、エドワード？　未来から彼に会いに来た娘。ロマンチストだな、エドワード？　おまえは夢物語が好きだったからな。こういう娘が好みだったのか。メアリは艶《つや》やかな赤毛の、溌《はつ》剌《らつ》とした娘だったじゃないか。なあ、おまえを捨てた娘、幼馴染《おさななじ》みで将来を誓い合っていたあの娘、高利貸に嫁いで、逃げる前に一目会いたいと訪ねていったおまえを汚いもののように見下した娘。無意識のうちにあの娘と対照的な容姿を選んでいたんじゃないかね？

自分がおかしくなりかけているんじゃないかと疑ったとたん、それまで最後の自尊心をふり絞って心の周りに築いてきた壁が、あちらこちらで音を立てて崩れ始めた。たちまちそのかけらが心を突き刺し、引き裂き、見る間にどくどくと血が流れ出してくる。寒い早朝の寝室で息をひきとった父。安酒とラードでべたべたした暗い店の床に転がっていた母親の疲れきった死に顔。ツンと顎《あご》を上げて彼の服や靴をねめまわしたメアリの茶色い瞳《ひとみ》。ねちねちと文句を言いながら家じゅうの家具に値を付けていた、チタウィック商会の太った男。

親父《おやじ》が朝晩駆けずりまわってたのに、お坊っちゃまは優雅に歴史のお勉強かね？　そんな身分は永遠に巡ってきやしないよ。そもそもが高望みすぎたのさ。地べたを這《は》いずり回って利子だけでもかき集めてきな。綺麗《きれい》な顔をしてるから、劇場の前に立ってれば、どっかの退屈してる金持ち女が買ってくれるかもしれないぜ。エドワード、何でも言ってくれたまえ、僕たちは親友じゃないか。エドワード、昨日もうちにあの男が来たよ。これで今週三度目だ。困るよ、エドワード。うちの母が嫌がっているんだ。エドワード、もううちには近付かないでくれたまえ。大学だって続けられないんだろう？

エドワードはハンカチーフをぐしゃりと握りしめ、身体を震わせた。

「もうたくさんだ」

少女にハンカチーフを突き返す。少女は渋々それを受け取り、大きく目を見開いて怯《おび》えた表情になった。

「失うものは何もない。これ以上僕を混乱させないでくれ。きみが僕の妄想の産物ならば、僕を放っておいてくれ。もうじゅうぶん苦しんだ。両親も、友人も、みんないなくなった。誰もいない。それでもいい」

自分に言い聞かせるように、絞り出すように呟《つぶや》くエドワードを、少女は痛々しいような顔で見つめた。

「エドワード、今のあなたが大変なのは知っているわ。でも、だいじょうぶなのよ、あなたはこれからちゃんと立ち直って将来立派な業績を上げるのよ。自暴自棄にならないで」

　エドワードは冷たい笑い声を立てた。

「素晴らしい。僕の妄想もたいしたものだ。慰めにしては上々だよ。それは僕の夢だった。僕の親も、僕がみんなに尊敬される立派な人物になるのを夢みていた。だが、明日から暮らしていく金もない。寝る間も惜しんで勉強していた大学は放り出された。いったいどうやってそんな身分になるというんだ」

　いつのまにか、辺りはますます暗くなっていた。厚い雲が垂れこめ、ひどい雨が来る前の、どんよりと湿った不穏な気配が周囲にたちこめている。

　遠くで小さな稲妻が見えた。声にならぬどよめきが人々に満ちる。

「光った」

「光ったぜ」

「まだ遠い」

「こりゃあ一雨来るな。大丈夫かな、こんなところで落ちたらたまらん」

「凱旋《がいせん》飛行が大惨事だ」

「本当に来るのかね」

「この天気だ。遅れてるらしい」

　ゴロゴロと、遠いところから地響きのような雷鳴が伝わってきた。その雷鳴に耳を澄ますように少し静かになったが、またざわざわと喧騒《けんそう》が激しくなる。それでも、誰も帰ろうとはしていない。

　少女が胸を押さえた。みるみるうちに、顔から血の気が引いて行く。

　エドワードはハッとした。

「きみ」

　胸を押さえてよろけた彼女を、反射的に抱き留めた。華奢《きゃしゃ》で折れそうな身体。外れたフードから、流れるような金髪がふわりと宙に舞った。

　少女は小さく咳をした。

「ごめんなさい。雷は嫌いなの。いろんなことを思い出すから」

　少女は、そっと自分の腕をつかんでいるエドワードの手に触れた。

「大きな手。久しぶりだわ、あなたの手を見るのは。あたしはあなたの手が好きだった」

　感情が爆発したあとには、ひんやりした虚脱が来た。

　エドワードは、久しぶりに感じた他人の手の感触に戸惑うのと同時に、内側のざらついた部分に柔らかなその感触が流れこんできて、陶然となるのに驚いた。

ほんの少し。少しだけこうしていてもいいのではないか。自分がいかれているのか、この子がいかれているのか、それともいかれた二人が偶然出会ってしまったのかは分からないけれど、いましばらくこの雑踏の中でじっと立っていても構わないのではないか。

少なくともその瞬間、二人は同じことを考えたのかもしれない。

二人は動かずに、黙って寄り添って立っていた。周囲で交わされる会話が、二人を取り巻き、通り過ぎて行く。

また遠くで稲妻が光った。一瞬、飛行場のだだっぴろい地面が明るくなる。

同じ稲妻の同じ光が、寄り添う二人を照らし出した。何も言わず、じっと遠い空を見ている二人。

不思議だ。

エドワードは醒《さ》めた気持ちで考えた。

人生に絶望した自分と、未来からやってきたという少女と、こんなに大勢の群衆とが、同じものを待ちながら同じ稲妻の光を見ている。同じ一瞬の光に照らし出されている。これは、はたから見たら奇妙な光景ではないだろうか。この一日は、この切り取られた場面は、遠い未来から見たらどういう意味を持つのだろうか。

彼は、何者かの大きな目がぐるりとこのハンワース・エア・パークを俯瞰《ふかん》して、自分たちを含めたこの光景を見下ろしているような眩暈《めまい》を感じた。

これと同じような感覚を前にも味わったことがあった。

エドワードは、ふとそう気が付いて記憶を探った。

やはりこういうふうに空を仰ぎ見ていた。幼い日——銀色に光る飛行船。

そうか、先の大戦の空襲の日か——銀色の飛行船がドイツからやってきた。海を越えて征服した経験はあっても、空から飛来したものに攻撃されるようなことが自分たちに起こりうるなど、イギリス国民は考えたこともなかった。すぐに高射砲が開発されて、ツェッペリン飛行船自体は全く脅威ではなくなったが、あの恐怖はイギリス国民に深く染《し》み込んでいた。あの時、彼はまだ小さな子供だった。空をゆく銀色の船。無邪気に見上げていたあの日が蘇《よみがえ》る。そうだ、あの時も考えた。いや、感じていたのだ。自分の瞳に焼き付けたこの光景が、自分が大人になった時、どういう意味を持っているのだろう、と。あの日の光景が、自分に歴史を学ばせるきっかけになっていたということに、彼は今初めて気付いたのだ。そして、全てを失った自分が最後にふらふらとやってきたのが、なぜこの場所であったのかということにも。

「――エドワード、混乱させてごめんなさいね。そんなつもりじゃなかったの。いきなり知らない娘がやってきて、こんな話をしたのでは信じてもらえないのは当然だと思うわ。あなたは、妄想など抱いていない。おかしいのはあたしよ。でもお願い、おかしな娘のたわごとだと思って、もう少しあたしの独り言を聞いてくれる？」

少女は小さな声で呟いた。

承諾とも拒絶とも取れるように、エドワードはじっと黙ってそのまま立っていた。

「それがどうして始まったのかは分からない」

少女はぽつぽつと話し始める。

「誰かの意思が働いているのか――神のおぼしめしなのか、気紛《きまぐ》れなのか、手違いなのか。でも、こうして現に起きている」

少女は指先でエドワードの手の甲をかすかに撫《な》でた。

「あたしは、もう何度もあなたに会っているの。なぜかはあたしにも分からない。なぜこんなことが起きるのかも分からない。知りたいとは思うけれど、誰も教えてはくれないわ。あなたにも、理由は分からないようだった。あたし、今回はわりと早く思い出したのよ。きっと、あまり時間がないからだと思うけれど。あたしたちは、いつもほんの少ししか一緒に過ごせないの。必ずどこかで――それぞれの人生のどこかで出会うことは分かっている。でも、それがどういう形で訪れるのかは謎《なぞ》なの」

　少女は、『聞いている？』とでも言うようにちらりとエドワードの横顔を見上げた。

　エドワードは無表情を装《よそお》い続けた。

「でも、あなたの話を聞いて、今日が、あなたが初めてあたしに出会う日だと知ったの。この日に出会わないと、そのあとも続いていかない。だから、今日はどうしてもあなたに会いたかった——会えて良かったわ。満足よ」

　エドワードは少女の言葉を聞き流していた。確かに、彼女は自分の幻想に捕らわれているのだろう。頭は良さそうだ。聡明な子供は耳年増《どしま》なものだが、言葉の使い方も、老練な商売女のようにこなれている。こんな壮大な話を作り上げるのはただ者ではない。

　すっかり気持ちは醒めて固まっていた。しばし、少女の幻想につきあうのもよかろう。将来立派な先生になっているという夢を描いてみせてくれただけでも、いい土産になったかもしれない。もう少し相手をして、アミリア・エアハートが着いてそちらに彼女の注意がそれたら、そっといなくなればいい。

　少女は、エドワードの気持ちを見抜いているのかいないのか、彼の手につかまったまま話を続けた。

「時々、出会えないこともあるの。このあいだ、あたしはまだ十歳にもならないうちに死んでしまったわ。あなたと会わなければならないことを思い出したのは、最後の瞬間だった。一九四四年のロンドン大空襲で——あれはひどかったわ——空が真っ赤で、黒い十字架のような飛行機がたくさん飛んできた——」

「——おい、何言ってるんだよ、お嬢さん。一九四四年だと？　ロンドン大空襲？　こないだの戦争の話じゃないのかい」

いつのまにか少女の声は大きくなっていたらしく、隣にいた赤ら顔の男が話の内容を聞き咎《とが》めた。

思考を破られたエドワードは、慌《あわ》てて彼に話しかけた。

「子供の空想ですよ。この子は話を作るのが上手でね。聞き流してやってください。ね、そうだろエリザベス」

エドワードは作り笑いを浮かべて、少女に同意を求めた。

少女はかたくなな瞳でエドワードを見つめている。

しかし、男は彼女に興味を覚えたようだった。

「ふうん。一九四四年ね。また戦争が起きるっていうのかい」

男の声を聞いた周囲の青年たちが、好奇心をむき出しにしてこちらにチラチラと視線を投げ始めた。

「ええ」

少女は短く答えた。エドワードは、男と会話を続けるのをやめさせようと、少女に目で合図したが、少女は動かない。

「ほう。聞いたかよ、この娘は未来が分かるらしいぜ」

「面白い」

「へえ、別嬪《べっぴん》じゃないか。こんな娘からなら予言を授かってもいいね」

「ぜひ知りたいよ、俺の会社の株がこの先どうなるかってね」

どっと笑いが起きる。少女を囲む人の輪は徐々に大きくなってきた。エドワードは気が気ではない。逃げ場を探すように、きょろきょろと辺りを見回すが、退屈している群衆の目が皆こちらを向いている。早くこの場を離れた方がいい。彼の本能がそう告げた。何かとんでもないことが近付いているような気がしてならないのだ。

「どこが勝つんだい？」

ちょこまかしたリスを連想させる、どことなく小賢《こざか》しげな顔をした若い男が尋ねた。

その内容を知りたいというよりも、この美しい少女と言葉を交わしてみたいというのが本心のようだ。

「どこも勝たないわ」

少女は乾いた声で答えた。

「どこも？」

男たちは訝《いぶか》しげな声を上げた。ざわざわとどよめきが起きる。

「今度の戦争は、この間の戦争の比ではないわ——犠牲者も、損害も。ヨーロッパのみならずアジアの広い範囲を巻き込んで、世界中が殺しあうのよ。このあいだの戦争と同じよ。どこにも勝者はいない」

少女の不吉な言葉に、男たちが不安そうな視線を交わす。恐慌《きょうこう》。ゼネスト。失業。これだけでもじゅうぶんに不吉な世の中だ。ヨーロッパはどの国も疲弊し、体力を回復するのに必死なのだ。しかし、ドイツは虎視《こし》眈眈《たんたん》と復讐《ふくしゅう》の機会を窺《うかが》い、冷たい目で周囲を見回していた。みんながドイツの視線に怯《おび》えて暮らしている。

「もうすぐ、あの男がドイツの首相になるわ」

少女はいっそう落ち着いた声で呟いた。

「あの男？」

赤ら顔の男が思わず尋ねた。

「黒い髭《ひげ》を生やした小男——」

「ヒットラーが？　まさか。確かにこないだの選挙でずいぶん議席は増やしたが」

「ヒンデンブルグがいる間は無理だろう」

「それでも共産主義よりかましさ」

口々に男たちが話し始める。

「アフリカにはイタリアが進軍する」

少女が構わず続けた。みんなぎょっとしたような顔になる。

「ドイツはどんどんヨーロッパを飲み込んでいく。誰にも止められない。みんな手をこまねいている」

徐々に少女を取り囲む群衆は不安を覚え始めたようだった。根拠のない不安。たかが十二歳の少女なのだ。こんな小娘がいくら自信ありげに言ったとしても、笑って取り合わないのが当たり前だ。

しかし、彼等は不安を感じていた。少女は静かに立っていた。淡々と言葉を並べていた。悪魔のような黒いコートに身を包み、女神のような美しさで彼等に言葉を与えていた。

まずい、とエドワードは思った。みんな信じ始めている。最初は面白半分、からかい半分だったのに、ただの暇潰《ひまつぶ》しにすぎなかったこの少女に圧倒されているのだ。

「ねえ、エリザベス、もういいだろう。おまえの話上手はよく分かったよ。みんな本気にしてるじゃないか。もう帰ろう」

「その時、イギリスは誰が首相を務めてるんだい？」

エドワードの必死の阻止を遮《さえぎ》るかのように、別の真面目《まじめ》そうな紳士が尋ねた。

少女は名前を思い出すようにちょっと考えた。

「チェンバレン……チャーチル……あ、その前にボールドウィンが」

「ボールドウィン？」

今度こそざわざわとどよめきが大きくなった。

「やめろ、エリザベス。そんなたわごとはやめるんだ。みんなを混乱させるだけだ」

エドワードは少女の腕をつかんでその場を離れようとした。

「宥和《ゆうわ》政策は失敗するわ。その間にもドイツはどんどん強大になっていく。イギリスもフランスも見て見ぬふりをする。犠牲者は増えるいっぽう」

少女は叫ぶようにそう言うと群衆を見回した。

群衆は恐怖に駆られ始めていた。さざなみのような不安が人垣の上をうねっているのが見えるようだった。エドワードも恐怖を感じていた。子猫だと思っていた少女が、大きな虎《とら》になってしまったのを、なす術《すべ》もなく見つめているような気持ちだった。なぜ彼女はこのように確信に満ちているのだろう。ただあてずっぽうを言っているのではなく、きちんと世界情勢を踏まえているように見える。なぜだ？　少女の幻想ではなかったのか？　エドワードは二重の恐怖を覚えた。少女の言葉が本当であるとすると、今まで聞き流していたあの会話は？

「なぜそんなことが分かるんだ？」

悪意と恐怖に裏打ちされた質問が、ナイフのように飛んできた。

「おまえは何者だ？　ドイツのスパイか？」

「どこから来たんだ？」

いつのまにか、男たちの目付きが険悪になっていた。

少女はその目付きをものともせずに静かに立っている。

「イギリスは何もしない。何もできない。ラジオからあの声が聞こえてくるあの日までは——もしイギリス帝国が千年栄えるのならば——この時代こそが我々のもっとも誇りに思う時代であったと言えるように——」

少女の口からすらすらと言葉が流れ出た。

近くで閃光《せんこう》が弾《はじ》けた。一瞬、群衆全体が白く輝く。

ガラガラガラという地響きのするような雷鳴が、辺りを包み込んだ。

雷鳴が静まり、ぞっとするような静寂が少女を囲んだ多くの人々の間に広がった。

「そう。イギリスはそれどころではないの。もうすぐ、王家が大混乱に陥るのですもの」

人々がぎょっとしたような顔で少女を見た。さっきは前に出たがっていたのに、今では少しずつ後退《あとずさ》りをして、少し離れたところで少女を遠巻きにしている。

「大混乱？」

ぞっとするような冷たい声で誰かが尋ねた。

少女は頷《うなず》いた。

「――世界じゅうをさわがせるスキャンダルが王室に」

それは、あまりにも不遜《ふそん》な発言、不吉な発言に思えた。その言葉の内容の重大さに、その場の空気が凍り付いた。

「こいつ、スパイだ！」

ひきつった声で誰かが叫んだ。ワッと同調する叫び声。

「つかまえろ！」

「警察につきだせ！」

いっせいにつかみかかる男たちと、恐怖に駆られて逃げ出そうとする人々。たちまち揉《も》みくちゃになり、悲鳴と怒号の上に雨がざあっと降り始める。

エドワードはとっさに少女に覆《おお》いかぶさると、少女の頭に黒いフードをかぶせた。小柄な娘だ。金髪が見えなければ、誰もが見失うだろう。興奮した叫び声は続いていたが、混乱に乗じて彼はその場をゆっくりと離れていった。右へ左へ蠢《うごめ》く人々の壁が、こんなに有り難く思えたことはなかった。

雨足は徐々に強くなっていく。


強い雨にも、群衆はその場を去ろうとしなかった。群衆が集まり始めて二時間は経過していると思うが、相変わらず熱気に満ちたざわめきで飛行場はごったがえしている。セレモニーの準備をしている人々が見えるが、さしせまった様子もないことからまだまだ式典は先だということが窺えた。

「なんであんな無茶を」

飛行場の隅の、人通りの少ない資材置き場の木箱に腰掛けて、エドワードは隣でうなだれている少女に尋ねた。声に非難の色はない。

少女は俯《うつむ》いたまま、膝《ひざ》の上で白い指を動かしていた。片方の手は、エドワードの腕につかまったきり離そうとしない。

「――急に、淋《さび》しくなったの」

ぼそりと呟《つぶや》く。

「淋しく？」

エドワードはフードの下にある少女の顔をのぞきこもうとした。睫《まつげ》に雨の粒が載っている。

「あなたは、私の話を全然信じていなかった。いえ、聞いていてもくれなかった。あなたは心を閉ざして、頭のおかしい女の子の話など聞いてはいなかった」

エドワードは、彼女に自分の心を見透かされていたことに動揺し、恥ずかしさにいたたまれなくなった。そうだ。その通りだ。それでは今はどうだろう？　彼は自問自答する。

今でも信じていない。それが本当のところだろう。しかし、少女は、目的はなんであれ、彼を求めていた。彼でなければ駄目なのだという熱意と真剣さだけは理解できたような気がする。

それで、いいではないか。誰かが、彼に情熱を向けてくれたことなど、いつ以来か覚えていない。金も軽蔑《けいべつ》も絡《から》んでいない視線で彼を見つめてくれたことだけでも、良いのではないだろうか。

エドワードはなごやかな気持ちになっていた。こんな情熱を、自分は持ったことが今まであっただろうか。大学で忙しく学んでいた日々も、学ぶ理由を掘りさげることもなくやみくもに知識を詰め込んでいただけのような気がする。今からやりなおすことができたら、もう一度違った目で学ぶこともできるだろうに。でも、もう、遅い。既に、怒りも、絶望も過ぎ去っていた。乾いた虚無だけが彼の内側にあった。この子を家族の元に送り届けなければ。それだけはきちんと済ませよう。

ふと、心に疑問が浮かんだ。

「ねえ、エリザベス。もし――もしきみの話が本当ならば、なぜきみと僕なんだろう？」

エドワードは静かな口調で呟いた。

少女はちらっとエドワードを見上げた。その瞳《ひとみ》はもう落ち着いている。

「分からないわ」

少女はまた視線を落とした。

「でも、あたしはあなたで良かったわ。いつもあなたを見つける度に、ああ、あなたに会えて良かったと思うの。いつもいつも。会った瞬間に、世界が金色に弾けるような喜びを覚えるのよ」

エドワードは小さく笑った。今度は、うまく笑えたように思えた。皮肉や自嘲《じちよう》ではない、ほんものの笑顔。その笑い声を聞いて、少女が恐る恐る彼を見上げた。彼が心から笑ったのだと気付き、蕾《つぼみ》がほころぶように少しずつ表情がほぐれていく。

「それは光栄だね。そんなことを言われたのは初めてだ。こんな美女にそう言われて、喜ばない男はいないない」

「ほんとうよ。いつもいつも、そう思ったわ。いつも幸せだったわ」

少女は繰り返しそう言った。

「覚えていてね、エドワード。いつもそうだったのよ」

その表情が恐ろしく真剣で、かつ冷徹な感じがしたのでエドワードはどきりとした。

「エリザベス！」

その時、甲高《かんだか》い少年の声がした。

二人はびくりとして声の方向を見る。

鳥打帽をかぶったひょろりとした少年が少女を見つけて駆けてくる。その後ろの方から、がっしりした男が走ってくるのは彼の父親だろうか。

少女があっと小さく叫び、エドワードにぎゅっとしがみついた。

「知り合いかい？」

エドワードが尋ねる。少女は顔を隠すように身体《からだ》を引いた。

「エリザベス、探したよ！　そんな高熱で歩き回るなんて無茶だよ」

顔を紅潮させた少年は、息を切らしながら少女の前に走ってきた。

少年は、少女がしがみついているエドワードに初めて気付いたかのように、きっと顔を向けた。

「あなたは？」

エドワードは肩をすくめる。

少年は、彼の身なりや顔をじろじろと値踏みするように見回す。じわりと怒りが湧《わ》いた。また、あの時のメアリの顔を思い出してしまった。

「彼女の友人さ」

エドワードはしれっと答えた。少年は、むっとしたようだった。同時に、兄弟でもない男がなぜこんな小さな女の子と一緒にいるのかという疑問も覚えたらしい。

「彼女は、病気です。とても高い熱を出しています。早く治療をしないとたいへんなことになります。エリザベス、行こう。雨もひどくなってきたし」

少年は真面目くさった声で、しかも威圧的に言葉を投げた。

「いいの、だいじょうぶなの。いつも熱は出るの」

少女は必死にエドワードにしがみついていた。エドワードは無表情に少年を見つめた。エドワードの視線に少年がカッとするのと同時に、彼の顔に嫉妬《しっと》の色が浮かぶのを面白く眺めた。なるほど、この子が好きなんだな。

「デイヴィッド、その子かね？」

キャメルのコートを着たがっしりとした男が、少年の後ろから声を掛けた。少年はほっとしたような顔でその男にしがみつく。

「パパ、彼女がエリザベスだよ。ひどい熱を出しているんだ」

「どれどれ、お嬢さん、見せてごらん」

男は眼鏡を押さえて少女の方にかがみこもうとして、ハッとしたように隣にいるエドワードを見た。

「――エドワード？」

エドワードはぎくりとして、目の前にある男の顔を見た。二人はまじまじと互いの顔を見つめあう。

「エイモス先生」

二人は見つめあったあとで、決まり悪そうにどぎまぎと視線をそらした。が、咳払《せきばら》いをしてエイモスは気を取り直し、口を開いた。

「何をしてるんだ、こんなところで。みんなきみを探しているよ。お父さんは残念なことをした」

再び、自嘲がエドワードの唇に湧いてくる。

「ええ、借金取りが大勢ね。おかげで、こんなところで路頭に迷っているわけですよ」

くすぶっていた怒りがふつふつと胸の底で煮えたぎる。借金があって食費にも事欠くと知ってからは、父に薬を出すのすら渋った。いちばん病状の悪化した時に、母親が彼の家の外で懇願しても居留守を使っていた素晴らしい医者――そんな男とこんな場所で出くわそうとは。

エイモスはわざとらしく咳をした。

「私もね、大変なんだよ。今日び医者といえども楽ではない。きみも、早く帰った方がいい。教会の人が、きみのご両親の墓をどうすればいいのか困っていたよ。みんなが苦しい時代なんだ。きみだけが苦しいのではない。お父さんの借金を返すのは大変だろうが、逃げ回っていたのでは何も解決しないよ」

何を聞いても嫌悪感《けんおかん》しか湧いてこない。エドワードは必死に怒りを抑えていた。隣にしがみついている少女さえいなかったら、この男を力いっぱい殴りつけてやりたかった。

二人の険悪な雰囲気に、少年と少女はとまどっていた。

「ひどい熱だ。こんなところにいたら、肺炎になるよ。お母さんたちはどこにいるんだね？」

エイモスは、少女に精一杯優しい声を作って話しかけた。

少女は何も話さない。じっとエドワードにしがみついている。

「エドワード、この子はどこの子なんだね？　家族を知っているのか？」

ビジネスライクな表情を装《よそお》い、エイモスはエドワードに話しかけた。本当は今すぐにでもこの場を離れたいのだろうが、息子の手前それができないのが見え見えだった。

「彼女は僕の個人的な友人です。家族には会ったことがありません」

エドワードはエイモスの顔を見ずに答えた。少女の指が腕に痛いほどくいこんでくる。

不穏な沈黙があった。エイモス親子の冷たい視線が突き刺さるのを感じて、エドワードは思わず顔を上げた。

軽蔑と疑惑に満ちた顔が、二つ並んでいる。最近ずっと見てきた顔だ。飽きるほど見てきた顔なのに、いまだに慣れることができない。屈辱で顔が熱くなった。

疑われている。金持ちの娘を手なずけて、誘拐しようとしている失業した若い男。彼等の目に映っているエドワードは、そういう卑劣で忌《い》まわしき男なのに違いない。

「その子とはどこで知り合ったんだね？」

低い声でエイモスは尋ねた。隣にいる少年は、無言の非難をエドワードに向かって投げつけてくる。

「今日、ここでじゃないのかね？」

そうだと答えたかったが、答えるだけ無駄なのは分かっていた。

不穏な沈黙が暫《しばら》く続いた。

「エドワード、その子をこちらに渡しなさい。今日のところは見逃してやる。お父さんに免じて、きみにここで会ったことは誰にも内緒にしていてあげよう」

エイモスは恩着せがましい威嚇《いかく》的な口調で手を差し出した。

エドワードは殺気に満ちた目でエイモスを睨《にら》み返したが、エイモスも動じない。彼は自分が正義漢であると信じきっているのだ。が、この状況では誰もがエイモスの方に味方するのは目に見えていた。失業者が飛行場で金持ちの娘と知り合った。それだけの事実が、人々の感情にどういう結論をもたらすかは分かり切っている。エドワードがこの少女とどんな会話を交わしたか、誰も知らないし、知ったとしても誰も信じてくれないだろう。

エドワードは疲労を覚えた。すり切れたぼろきれのような、深くて殺伐とした疲れだった。

「エリザベス、お行き。ご両親が探してるよ」

「そんな」

少女は裏切られたような顔をした。くいいるようにエドワードの目を見つめる。

「僕はきみを誘拐すると思われているらしい。僕はそんなふうに思われたくない。ただでさえ人に追われる身分だしね」

エドワードは精一杯穏やかに話しかけた。少女の目にみるみるうちに涙が浮かんでくる。

「そんなはずないのはあなたが一番よく分かってるじゃないの。いや。いやよ、エドワード。やっとあなたを見つけたのに」

少女はエドワードにすがりついた。

「エリザベス、おいで。この男に構うんじゃない。きみがかかわりあうような男じゃないんだ」

冷たい声でエイモスが叱責《しっせき》した。びくっとしたようにエリザベスがエイモスを見上げ、それからエドワードの顔を見る。

エドワードは乾いた瞳でエリザベスを見た。

二人の視線がからみあう。

彼女は、もう自分と一緒にいるつもりのないことを、彼の目を見て悟ったようだった。

涙が流れるままになった顔を力なく下げ、少女はよろよろと立ち上がった。少年が少女によりそって、その手を取る。少女はちらりとエドワードを振り向いたが、エイモス親子に挟まれるようにして歩いていった。二人は、エドワードに一瞥《いちべつ》もくれなかった。

遠ざかる三人をぼんやりと抜け殻のように見送っていたエドワードは、のろのろと頭を抱え、誰からも己の存在を隠すようにその場にじっとしていた。歯をくいしばり、自分に必死に言い聞かせる。

何も考えるな。何も感じるな。

飛行場の外に出ても、相変わらず人の波は押し寄せてきた。

エドワードは人の流れに逆流するように、とぼとぼと幽霊のように歩き続けていた。

いったい何が見たいんだ。アメリカ女が燃料を浪費してこんなところまでやってくるのが面白いか。旦那《だんな》は大金持ちで、女は道楽で飛行家をやってるというじゃないか。そんな女をわざわざ見にくるのか。そんな女を。

頭の中がぐちゃぐちゃして、何も考えられなかった。

なんでこんなところにやってきてしまったんだ。いつもそうだ。嫌な思いをすると分かっていても、引き寄せられてしまう。もう他の男のものになったと思っても訪ねていってしまう。もう友人ではないと分かっているのに、慰めの言葉を期待してしまう。いつもそうだ。甘い。なんて甘い、愚かな男。

唇から呻《うめ》き声が漏《も》れた。

行き交う人、人、人。けたたましいエンジン音を響かせて通り過ぎるトラック。クラクションと、雨と、遠雷。何も考えるな。何も感じるな。

「どうしよう、パパ」

「家族の居場所が分からないのではなあ。警官に断ってから、とりあえずうちの病院に連れていこう」

エイモス親子に挟まれてとぼとぼと歩いていた少女は、警官という言葉に我に返ったようになった。連絡されたら、どうなるのだろう。大騒ぎになるだけだ。せっかくここまでやってきたのに、せっかくエドワードに会えたのに、全《すべ》てが無駄になってしまった。

頬についた涙の跡を拭《ぬぐ》おうともせずに、少女は歩き続けた。

やっぱり、あたしのエドワードだった。彼はいつも変わらない。純粋で、誠実で、不器用だけど本当は優しい。

この短い時間に、彼が見せた顔が次々と脳裏に蘇《よみがえ》る。頬がこけて顔色は悪かったし、無精髭《ぶしょうひげ》は伸びていたけれど、やはりあのひとだった。そんな荒《すさ》んだ状態でさえ、彼の本質的な内側の美しさは隠せなかった。

最後に一瞬彼が見せた笑顔の美しさを思い出して、胸が苦しくなった。あれが本当の彼なのだ。

少女はふと、ポケットに手を触れた。

ハンカチ。まだ渡してない。渡すことができなかった。

少女は、そっと後ろを振り返る。

ずっと後方に遠ざかった資材置き場には、既に彼の姿はなかった。いない。少女はハッとした。

ふと別のことを思い出したのだ。

彼女がここに来たもう一つの重大な目的を。

エイモスが警官を見つけ、つかまえにいった。少年はふうっと溜《た》め息をついて、少女を振り返った。

「——ねえ、エリザベス」

彼は一人きりだった。ぎょっとして視線を走らせる。

振り返った少年には、群衆の中に紛れこもうとしている少女の後ろ姿がちらりと見えただけだった。


冷たい雨は降り続き、雷鳴は鳴り続けていた。

見知らぬたくさんの人々。冷えきった身体。空腹も、既に限界を通り越していて、意識は朦朧《もうろう》としていた。

おしまいにしたい。楽になりたい。

エドワードは心の中で叫んだ。

そう。最初からこうしていればよかったのだ。死に場所を求めて何日もふらふらしていた意気地なし。疲れきって、絶望しきって、誰にも知られず死んでゆく。それこそが今の自分にふさわしい。

車の激しいクラクション。何かまとまった物資を運んでいるのか、次から次へと乱暴にトラックがやってくる。雨。エンジン音。クラクション。世界の終りにしては、ずいぶんと騒がしい。

「おい、邪魔だ」

向かいからやってきた男たちのグループが、ふらふらしている彼をぐいと押し退《の》けた。

今だ。このまま身体を放り出せばいいんだ。それだけだ。

ぐらりと自分の身体がかしぐのを感じた。

意識が遠のく。頬に当たる雨をはっきりと感じる。

全身がバランスを失っていく。

トラックがみるみるうちに迫って来る。

「エドワード！」

どこかで聞き覚えのある叫び声を聞いた。

背中を強い力で激しくどんと押されたのは、その直後だった。

彼は、大きく前につんのめっていった。トラックの幌《ほろ》が背中をかすめ、後ろでどしんという衝撃音と、続いて金切り声のようなブレーキの音を聞いた。

一瞬、世界が沈黙していた。

不気味なほどの静寂が、灰色の空を覆《おお》っていた。エドワードは地面に投げ出された全身で、雨の音を聞いていた。雨だけが世界を支配していた。

それから、悲鳴があちこちに起きた。

「子供が！　子供がはねられたわっ」

「誰か来てくれっ」

子供。

その言葉が脳裏に点滅した。

エドワードはのろのろと身体《からだ》を起こした。

次々とトラックが止まり、ばたんばたんとドアの開く音がする。あちこちから人が駆け出してきた。ざわざわと恐ろしげなざわめきが響く。

離れたところに、金色の髪と、黒いコートが、ぐにゃりと横たわっていた。水溜まりの上にかかった金色の髪が濡《ぬ》れている。

エドワードはまじまじとその金髪を見つめた。

「そいつだ、そのトラックがはねたんだ」

「俺のせいじゃない、その子がいきなり飛びだしてきたんだ。間に合わなかったんだ」

ヒステリックな声が弾劾《だんがい》を叫び、運転手の慌《あわ》てた声が聞こえる。

エドワードは凍りついたような顔でよろりと立ち上がった。

そのまま、転がるようにその金髪に向かって走っていく。はねが上がり、顔に泥がかかる。靴もズボンもずぶぬれだった。

震える手で、彼はその少女をゆっくりと助け起こした。

痩《や》せた身体は枯れ木のように軽かった。金色の髪の下に、小さな顔がある。

「――エリザベス」

エドワードはその顔の上の髪の毛を払った。青ざめた額から血が流れ出していた。

「馬鹿《ばか》な。なんてことを」

震える声で、呼び掛ける。

ゆっくりとまぶたが開いた。生気のない灰色がかった碧《みどり》の瞳《ひとみ》がこちらを見る。その瞳が、彼を認めてちらりと喜びに輝くのが見えた。

「よかった。無事だったのね」

「なぜだ。なぜこんなことを」

わななわなと唇が震えた。横たわっている彼女の姿を見た時の衝撃が未《いま》だ全身を去らない。がんがんと頭の中で鐘のような叫び声が聞こえた。嘘《うそ》だ。これは嘘だ。俺をかばってこの子が死んでしまうなんて。

「いいのよ。これで今日ここに来た甲斐《かい》があったわ」

少女は痛みに顔を歪《ゆが》めながらも、にこっと笑みを浮かべた。

「どのみち、あたしはもう助からなかったの。お医者さんも、あとひと月もてばいいだろうって言ってたし」

少女は話し続けた。その小さな唇からも、口を開く度に血が溢《あふ》れてきた。

「話すんじゃない。だいじょうぶだ、すぐ医者が来る。話さなくてもいいよ」

エドワードは泣き声になった。

「いいの、話させて。もうすぐだから。あたし、とっても満足しているわ。こんなに幸せだったことってないくらいなの」

少女は笑っていた。額と唇から細い血を流しながら。

「——ほんとうに、間に合わないかと思ったわ。どうしてもアミリア・エアハートを見たいからってわがままを言って、近くの病院に移してもらったの。みんな反対したけど、もうあたしが助からないのを知ってたから、最後は聞いてくれたわ。どうしてもここの近くの病院でなきゃならなかったの。だって歩いてここまで来る体力が残っているかどうか分からなかったんだもの」

少女はふふふ、と笑った。

「指折り数えて、この日を待ったわ。あなたに会うまで死ぬわけにはいかなかったから、毎日じっと動かずに、いやな薬も全部飲んだわ」

少女が泥にまみれた指を、苦しげに動かした。その手を握ると、少女は思いがけなく強い力で握り返してくる。最後の力をふりしぼっているのだと思うと、その強さが胸を突いた。

少女は必死に手を動かしていた。何かを、何かを探している。

「どうしたんだ？　どうしたいんだ？」

「ポケットに」

エドワードは泥だらけの濡れたコートのポケットを探った。ころっと口紅が水溜まりの中に転げ出た。ぽつぽつと雨が当たる。それを見て少女はかすかに笑った。

「今日は、あなたが、初めてあたしに出会う日だから、少しでも綺麗《きれい》にって、思って」

そう言われて、エドワードは初めて彼女がどんなに弱っているのかを感じた。皮膚も薄く、首筋は骨が手に触れそうだ。

「ね。これからの、印象も、あるし」

言葉が切れ切れになってきたことに気付いていた。あいまにぜいぜいという息が混じる。

少女は全身を痙攣《けいれん》させた。思わず腕に力を込める。

「喋《しゃべ》るんじゃない、エリザベス」

苦しむ少女の顔を見ていられなくなり、エドワードは思わず顔を背けた。

「だいじょうぶ。思い出してよかった。さっき、いったんあなたと別れてから思い出したの。あなた、あたしが初めて会った時にこう言っていた——あの日、自殺しようと思っていた。一人で、死に場所を、探していたって」

その目が一瞬遠くなった。

「思い出して、よかった。間にあって、よかった——よかった」

よくない。ちっともよくない。こんな、何の役にも立たない、放っておいても野たれ死ぬような男を救ってどうするというのだ。エドワードは、激しい怒りと絶望が全身を貫くのにじっと耐えた。

「ポケットを」

少女はもう一度言った。

エドワードは少女のポケットを探る。白いハンカチーフが出てきた。

「ああ」

手に持たせてやると、少女は安心したような溜め息をついた。

「やっと、渡せるわ。ね。エリザベスから、エドワードへ」

全身が震えていた。少女の身体とともに、エドワードも震えていたのだ。

「受け取って。持って、いて。なくさないで、ね」

少女は真剣な瞳でエドワードを見据えた。ハンカチーフをそっと受け取る。泥と血が滲《にじ》んでいる。

「これを、渡して。あたしに。四十五、年、経《た》ったら。あたしを、見つけて。きっと」

ほとんど声になっていなかった。彼女の瞳が見えなくなった。なぜだ。なぜだ。父の時も、母の時も、涙なんて出なかったのに。

「その、とき、あたし、は、はじめて、あな、たに、で、あう、から」

少女はその時、一瞬空を見た。灰色の空。雨を落とす空。

「アミ、リア、には、ま、に、あわな、かった」

エドワードは、その顔に、最初に見た若い娘の面影を見たような気がした。そして、少女はあらゆる年齢の女に見えた。若い娘に、母親に、老女に、女神に。

「いつも、うれしかった」

少女は最後のひとさしを燃やすように喋った。どこにこんな力が残っているのだろう。

「――覚えて、いてね」

少女は夢見るような目でエドワードをぼんやりとみた。混濁が始まっているのだ。

「いつも。えりざ――より、えどわ――へ。――をこめて。わたしのえどわーど。わたしの――いおんはーと」

ゆっくりとまぶたが降りて行く。

「エリザベス、エリザベス」

エドワードは少女を揺さぶった。しまいに、少女は何かをぶつぶつと呟《つぶや》いた。何かのメロディーを口ずさんでいるのだ。

そして、瞳と唇は永遠に閉じられた。

エドワードは、少女を腕に抱いたまま呆然《ぼうぜん》としていた。

涙だけが休むことなくどんどん流れ出していく。

周りに人だかりがしている。ざわざわとした声。クラクションが鳴りっ放しだ。

担架を持ってこちらに向かう男たちが見える。

雨は降り続いている。世界はまだ続いている。

人だかりの中から、真っ青な顔をした上品な女性と、使用人らしい若い娘が飛び出してきた。

エドワードの腕の中の少女を見て、二人は一瞬動きを止め、それから金切り声を上げた。

「エリザベス。エリザベス！」

「お嬢さまっ」

二人は身体を投げ出すように少女に飛び付いた。

「おおっ！　おおっ、なんでこんな。連れてきてやればよかった。最初から連れてきてやればよかったのに」

女は少女の上に覆いかぶさり号泣した。

母親らしい。金色の髪が雨に濡れていた。少女に似ている。

使用人の娘はぼろぼろ泣きながら震えていた。

「みんなで探したんですよ――病院を抜け出して――とても飛行場に連れてこられるような状態じゃなかったんです――でも気が付いたらいなくって――奥様は半狂乱になって」

娘は、水溜《た》まりの中に落ちている口紅をそっと拾い上げた。

「私のだわ。お嬢様は、とっても今日を楽しみにしてらっしゃったんです。そわそわして――おしゃれをして――まるで恋人に会うみたいに、楽しみに。小さい頃からご病気の繰り返しで、友達もいらっしゃらなかったから」

娘は誰に話しかけるともなく話していた。

覚えていてね、エドワード。

突然、エリザベスの声が頭の中に蘇《よみがえ》った。

いつもあなたを見つける度に、ああ、あなたに会えて良かったと思うの。いつもいつも。

彼女の真剣な声が鐘のように頭の中に響き渡る。

会った瞬間に、世界が金色に弾《はじ》けるような喜びを覚えるのよ。

その時だった。

雲の向こうから、全《すべ》てをかき消すような轟音《ごうおん》がとどろいてきたのだ。うわーっという、激しい潮騒のような喚声《かんせい》が地平線まで届けとばかりに辺りを埋め尽くす。それまではさざ波程度だった熱狂と興奮が、爆発するようなエネルギーをもって、飛行場から解き放たれる。

エドワードは涙を流しながら空を見上げた。

神の降臨のように、彼女がやってきた。暗い雲の向こうから、遥《はる》かな海の向こうから、鉄の塊に乗った一人の美しい女が。

轟音はますます激しく、喚声はますます高くなる。

怒濤《どとう》のような音の中、エドワードは少女の骸《むくろ》を抱き締めたままじっと空を見上げていた。

この痛みはどうなのだろう？　この痛みは、将来自分にとってどんな意味を持つのだろうか？　一瞬、燃え上がる真っ赤な空と、黒い十字架のような大編隊を見たような気がした。どうなんだ、これは？　どうなんだ？

彼は次々と表情を変えていく厚い雲を見つめ続けていた。

春

La Primaver

1868-7
Oil on canvas 860×1110m
Jean François Millet (1814-187

©Musee d'Orsay, P
Photo by SCA

プロムナード

一九四四年　ロンドン

季節の終わりがすぐそこまで来ていた。

中庭には、夏の残滓《ざんし》の光が注いでいる。

静かだった。唯一《ゆいいつ》聞こえるかすかな小鳥の鳴き声も、どことなく艶《つや》を失っている。

茎と葉だけになった薔薇《ばら》の茂みの中を、一人の少女が静かに歩いている。

十歳くらいだろうか。華奢《きゃしゃ》な身体《からだ》は折れそうに幼いが、柔らかな金髪が包んでいる小作りの顔には、既に将来の美しさの兆《きざ》しがのぞいていた。

少女はそっと薔薇の棘《とげ》を指でなぞりながら、どことなく上の空でぶらぶらと庭を散策しているのだった。水色の綿のワンピースの、腰の後ろで結んであるリボンが揺れる。

少女の目は薔薇の棘を追っているように見えるが、よく見ると目の前のものは何も見ておらず、ぼんやりとした不安と憂《うれ》いが浮かんでいる。彼女は歩きながら、昨夜みた夢のことを考えている。

あの夢——このところ一週間も続けて見ている。

それは不思議な体験だった。その夢を見ていると、焦《あせ》りと悲しみが胸いっぱいに広がってきて、叫び出したくなるのだ。説明のできない感情ではちきれそうになり、夜中に自分の泣き声で目を覚ます娘に、母親は空襲でも来たように真っ青な顔で飛んで来た。

おお、よしよし、怖い夢をみたのね。仕方がないわ、毎日びくびくしながら暮らしているんですもの。ごめんなさい、エリザベス。お父様は大事なお仕事で、ロンドンを離れることができないのよ。お父様はずっと私たちに疎開《そかい》するように勧めていたのだけど、ママは毎日お国のために仕事をしているお父様を一人にしたくなかったのよ。でも大丈夫、連合軍がパリを解放したし、もうすぐ何もかもよくなりますからね。

違うの。怖くはなかったわ。なんだかとてもかなしい夢をみたの。

少女はしくしく泣きながら母親に説明しようとするのだが、まだ幼い彼女にその感情を言葉で説明することはできなかった。ましてや、『切ない』とか『懐《なつ》かしい』とか、『深い喪失感』という感情などはとても。

黒い髪の男の人がでてきたわ――

少女が呟《つぶや》くと、母親は顔を曇らせた。やはり、ほとんど家に閉じこもって緊張しながら生活しているのは、子供の精神状態に良くなかったのかもしれない。不安や恐れが、黒髪の男という形をとって娘の夢の中に現れてきているのだ。夫の言うとおり、もっと早く母のところに行っていれば。胸に鈍い痛みを感じつつ娘を抱き締めると、彼女は母親の後悔を感じ取ったかのように答えた。

違うのよ。とても素敵な人で、優しくって、その人を見ていると幸せな気持ちになるの。

母親が身体を離して娘の顔を見ると、その目はうっとりとした夢想に浸っている。

もしかして、この子は現実から逃避しようとしているのかしら？

娘のぼうっとして熱に浮かされたような表情は、彼女に別の恐怖を感じさせた。

翌朝から母親が急いで疎開の準備を始めたのを、少女は他人ごとのように見ていた。

彼女は自分が毎晩見ていたあの夢に――黒髪の男に――心を奪われていたのだ。

あたしはあの人をずっとずっと前から知っている。

心のどこかで彼女はそう確信していたが、その根拠が何なのかは分からなかった。

夢に出てくる男は、奇妙だった。さまざまな場面が浮かび、彼は年寄りだったり若かったり、いろいろな年齢なのだが、どれも中身は同じ人間であるはずなのに、外見は微妙に違っていて、よく似ている別人のようなのだ。そして、夢の中でいつも自分は彼と対峙《たいじ》しているのだが、その自分も常に同じ自分ではないような気がした。

なぜかしら。

歓喜と絶望と——彼と対峙している時の感情が、昼も彼女を捕らえて離さない。

誰なんだろう、あの人は。いつも夢の中で呼び掛けているのに、名前が思い出せない。

母親は、駅まで切符を取りに出かけていた。とうとう、明日はここを引き払って祖母の家に行くことになったのだ。

ヨークシャーに行ってもあの人の夢を見られるかしら——

少女はそのことだけが心配だった。

次の薔薇が咲く頃までにロンドンに戻ってこられるといいな。

細い指先が、そっと薔薇の棘をなぞっていく。

ふと、薔薇の棘が震えたような気がした。

少女は何気なく辺りを見回した。中庭全体の空気が振動したような——

中庭はいつものように静まり返っている。

まさか、ね。

少女は踵《きびす》を返して家の中に入ろうとした。

その時である。キーンという異様な金属音のようなものが空に響き渡った。

激しい地響きと爆発音が、一瞬少女の耳を塞《ふさ》ぎ、身体が土の上になぎたおされた。

バラバラと石のかけらが、頭に背中に降り注いで痛い。白い煙と黒い煙が視界を遮《さえぎ》った。咳《せ》き込みながら、混乱した頭で、きょろきょろと出口を探す。

涙に曇った目で振り返ると、中庭を囲んでいた家の半分がけし飛び、激しい炎が上がっていた。パチパチと何かのはぜる音が不気味に辺りを覆《おお》っている。

水色のワンピースが、降り注いだ石のかけらで灰色になっていた。

ドイツの爆弾だわ。

少女はよろよろと立ち上がって庭から出ようとした。そこに再びキーンという耳障《ざわ》りな音が空を満たした。

空気を揺るがす爆音と衝撃。どーん、どーんという轟音《ごうおん》が遠いところで次々と地上を埋めて行くのが聞こえる。

そんな。明日はおばあさまのところに行くはずだったのに。

少女は混乱しながらも瓦礫《がれき》の上を這《は》っていった。膝《ひざ》に鋭い痛みが走る。石のかけらで皮膚が切れて、血でふわりと暖かくなったような感触があった。

家の中に入ると、そこは煙で充満しており、たちまち意識が遠のいた。

身体を低くするのよ。外に出なくっちゃ。

少女は口を押さえると、身体をかがめた。しかし、煙は容赦なく少女の目や鼻から侵入してきて、あまりの痛みに涙が止まらなくなる。

苦しい。苦しい。怖い。ママ。ママ、早く帰ってきて。

パニックに陥り、煙の押し寄せる闇《やみ》の中を、少女は記憶を頼りに扉を探した。なんとかドアのノブを探し当て、もどかしい動きで扉を開いた瞬間、凄《すさ》まじい勢いで熱風が家の中に吹き込んできて、喉《のど》に焼けるような痛みが弾《はじ》けた。

必死に目を開けると、そこは鮮やかなオレンジ色に揺れる激しい火の海だった。崩れた建物の黒い影が、赤い空にゆらゆらと伸び縮みしている。

頭の中が真っ白になる。

少女は目を見開いたまま、その場にへなへなとうずくまってしまった。

熱い。ママ。ここは熱いわ。

真っ黒な煙が空を埋めていく。遠く高いところをたくさんの飛行機が飛んでいる。

熱い。助けて。

頰が、前髪が、ちりちりと焦《こ》げるような匂《にお》いがした。汗と涙が目を塞ぐ。熱と炎に揺らぐ視界の向こうに、誰かが立っているような気がした。

あれは誰だったのだろう――夢の中のあの人は――

遠のく意識の中、少女はそれでも思い出そうとしていた。

黒い瞳《ひとみ》、黒い髪。いつもあたしが愛していた――いつも会える日を待ち続けていたあのひと――

い、い、い、エドワード。

ついにその名前を思い出した時、少女は意識を失っていた。その小さな身体を、煙と炎はすぐさまかき消した。爆音はいよいよ激しく、いよいよ獰猛《どうもう》に空を覆い尽くす。

街路を我先にと逃げてゆく群衆の中で、逆向きに進もうとする一人の瘦《や》せた女を男たちが必死に押しとどめている。

「あんた、どこに行くつもりだ。そっちにいっちゃだめだ！　もう瓦礫の山で道がない。風向きが変わったらここもすぐに火の海になるぞ！」

女は髪を振り乱し、男たちの手を必死にふりほどこうとする。

「ばかっ、死にたいのかっ」

「娘がまだ家に。まだ家に一人で残ってるんですっ」

女は涙を流し、真っ赤な目で叫んだ。

「逃げろ！　教会が崩れるぞ！」

「あぶなーいっ」

悲鳴と怒号。石の壁が崩れ落ちる震動と、金切り声が交錯する。

群衆の流れに押し戻されながら、女は力の限りに叫んだ。手に持っていた切符が落ちて、あっというまに人々の靴に踏みにじられる。

「エリザベス！」

「助けて！　だれか、娘を助けて！」

心を引き裂くような叫びを、荷物を抱え恐怖に駆られて逃げまどう人々の群れが飲み込んでゆく。

春

一八七一年　シェルブール

小さくくしゃみをしたとたんに、すっかり馴染《なじ》みになった頭痛の予感に襲われた。フランソワは、無意識のうちに顔を歪《ゆが》めていた。ひどくならなければいいのだが。

あまり頭を動かさないようにちらっと空を見上げた。この冷たい風がよくなかったのだろうか。

さっきから、いきなり驟雨《しゅうう》が吹き付けるかと思えば次の瞬間はさっと青空がのぞくといった具合に、天候はころころと変わっていた。どことなく落ち着かない気持ちにさせる気まぐれな風が、早春の農園を駆け巡っている。

彼は頭痛を忘れるために、努めて他のことを考えようとした。歩調もできるだけゆっくりにし、上半身が揺れないよう静かに濡《ぬ》れた土の上を進む。ここ数年、しつこい頭痛や目の痛みに悩まされている。痛みが始まると、何も考えられなくなり、仕事どころではなかった。目からはひっきりなしに涙が流れ、痛みに耐える緊張に脇《わき》が冷や汗で濡れる。鉛筆を持つことも、線一つ引くこともままならない。ようやく痛みが引いてきたとしても、痛みと戦った疲労で全身はぐったりと重く、消耗しきった心にはキャンバスが果てしなく遠く感じられた。アルトマンに頼まれた連作も、遅々として進んでいない。

黒い外套《がいとう》に身を包み、後ろ手に指を組んで、人気のない畔道《あぜみち》をうつむき加減に歩いていく男。齢《とし》は五十代後半というところであろうか。しかし弱々しいところはなく、がっちりとした身体《からだ》には、豊かなもじゃもじゃの髭《ひげ》をたくわえた柔和な顔が載っている。

まだまだ冬の名残《なごり》はあるものの、土の匂い、草の匂いが時折ハッとするような生々しさをもって足元からたちのぼる。鼻孔に、こめかみに、首筋に春の息吹《いぶき》が忍び込む。子供の頃から嗅《か》ぎ慣れた、記憶の底に染み付いた匂い。地上はこんなに静かなのに、遠くから聞こえてくる便りは血の匂いに縁取られている。

ここ数年、妹や親友の無残な死を看取《みと》ってきたフランソワには、パリの殺戮《さつりく》や権力争いが、虚《むな》しい行為としか思えなかった。

頬に当たる暖かい光を感じながら、彼はゆっくりとぬかるんだ道を歩いていった。

空の低いところにある真っ黒な雲が、急速に勢力を広げつつある。

また一雨来るな。

フランソワはそう感じると、どこかに雨を避ける場所を探そうと、心持ち足を早めた。

まだ萌芽《ほうが》はあるものの、頭痛はそんなにひどくならずに済みそうだ。そのことに力を得て、彼は歩調を強め、畑の中の道を急いだ。

小さなスミレがぽつぽつと草の中に鮮やかな色をのぞかせている。そのいじらしくも逞《たく》ましい生命力に、心を動かされた。

神は草の葉ひとつ、花びら一枚とておろそかにはしていない。こういうものの中にこそ、やはり私の描くべきものがあるのだ。

ゆるやかな丘を越えると、正面に並んだ木々が見えてきた。

ぱらぱらと冷たい雨が顔に降りかかる。

降ってきたか。

小走りに斜面を降りていくと、こんもりと広く枝を広げた一本の木が目に入った。

相当な樹齢の林檎《りんご》の木である。老齢ゆえに収穫の対象から外れているらしく、手入れもされていないようだが、その分、枝ぶりはがっしりとして葉も厚かった。

あそこがいい。

フランソワは頭に手をかざし、林檎の木目指して走った。雨の音が背後から追いかけてくる。

肩の水滴を払いながら木陰に入った彼は、そこに先客がいることに気が付いた。

真っ先に目に入ったのは、両足に巻かれた包帯だった。血のしみは既に乾いてかすれた茶色になっているが、かなりの怪我《けが》を負っていたことは間違いなさそうである。

「失礼。お邪魔してもよろしいかな？」

そっと声を掛けると、木陰の薄暗い闇の中で、若い男が振り向くのが見えた。

「どうぞ。はっきりしないお天気ですね」

落ち着いた、品のある声にフランソワは少なからず驚いた。

目が慣れてくると、木陰にひっそりと座っている男の姿がはっきり目に入ってきた。

そこにいるのは若い兵士だった。すっかり擦り切れた肩章が痛々しい。プロイセンと戦ってきた兵士なのだろう。重傷を負って帰されたに違いない。なぜこんなところに？

「——療養を終えて、パリに戻る途中なのです」

フランソワの疑問を読み取ったかのように、兵士は淡々と呟《つぶや》いた。

「療養を終えて——？　まだ終わったようには見えないが」

フランソワは兵士の足に目を向けて、ためらいがちに質問をした。よく見ると新しい血の染みもあり、完治したと言うにはほど遠い状態に見えたからだ。

兵士はかすかに笑みを浮かべた。

「歩けるようになればじゅうぶんなんですよ。パリはひどい混乱のようです。恥ずかしいことに、プロイセンに惨敗したうさを、兵士が自国の市民に対してはらしているという、悲惨な状態なのですが。私のような一番下っぱの兵士は、血の海の後片付けをしなければならないようです」

淡々とした口調にフランソワは好感を持った。彼の知っている血気盛んで徒《いたずら》に勇猛な軍人とは些《いささ》か趣が異なっている。

「ひどい戦だったようですね」

フランソワはさりげなく尋ねた。兵士は小さく頷《うなず》いた。

「ええ。最初から無茶な戦いでした——プロイセンの兵士は、予想以上に統率がとれているばかりか鍛《きた》え上げられていましたから——参謀も将軍も、格が違いました——

時代は変わっていたんですよ」

　低い声でのろのろと兵士は呟いた。

「セダンで我々がしたことと言えば、何度も繰り返し無謀に突っ込んでいっただけです。戦列もずたずたで、態勢も整っていないのに、ただ行ったり来たりの繰り返し。上官もなんの戦略もなしに闇雲に突撃を命令するばかりです。随分と無駄に若い兵士が亡《な》くなりました。私が生き残っているのが不思議なくらいだ」

　兵士は冷たい目で自嘲《じちょう》の笑みを浮かべた。

　掛ける言葉もなく、フランソワは黙って兵士の横顔を見つめた。

　口をつぐむと、二人は農園を激しく叩《たた》く雨の音にすっぽりと包まれていた。

　草の間を小さな流れが、低いところ目指して走っていく。暫《しばら》く雨は続きそうだった。

　最初の印象よりも、この兵士が若いことに気付いた。ひょっとすると、まだ十代かもしれない。体軀《たいく》はがっしりとして既に大人の男だが、顎《あご》の線や眉《まゆ》の辺りにまだ少年の儚《はかな》さを残していた。黒い髪、黒い瞳。滑らかな白い肌。やつれてはいるが、見るほどに美しい青年である。何よりも、生来のものであろう聡明さが彼の容貌《ようぼう》に気品を加えていた。

　ふと、フランソワは彼をスケッチしてみたい、と思った。しかし、今日はスケッチブックを持ってきていなかった。近年、風景画や風景の中での人間に興味が移ってきていた彼が、特定の人物を描きたいと思ったのは久しぶりだった。せめて、この横顔を覚えておきたい。フランソワはじっと隣の青年を見つめていた。

これからパリに戻るにしても、なぜこんな田舎に来ているのだろうか。故郷なのだろうか。それとも——もしかして、逃げているのだろうか？

心の中に疑問が湧《わ》いてくる。

雨の粒を見分けようとでもしているように、青年はじっと雨に包まれた農園に目を向けていた。そういう疑惑を持って眺めると、その表情には醒《さ》めた覚悟のようなものが浮かんでいるような気がする。

「こんなところで、何を？」

フランソワは、詰問《きつもん》調にならないよう、なるべくさりげない調子で尋ねた。

一瞬の間があった。

気を悪くしたのかと青年の顔に目をやると、「え？　ああ」と青年は間の抜けた声を上げた。彼の質問が耳に入っていなかったらしい。

ちらりとフランソワを振り返った青年の目に浮かんでいたものが、柔らかな夢想だったことに彼は驚いた。なんと——この青年は、隣に座っている私が目に入らないほど、何かの思いに浸っているのだ。それは政治的なものや刹那《せつな》的なものではないようだった。いったい彼は何に気を取られているのだろう？

「——私は、ここで人を待っているのです」

青年はぼんやりと答えた。

「人を」

フランソワは小さく繰り返した。それで得心がいった。なるほど、恋人か。殺戮の世界に戻る前に、恋人に会うためにここに寄ったということか。興味を覚えた。これだけ美しく聡明な青年の恋人になるのは、どんな娘だろう。恋人たちの逢瀬《おうせ》の邪魔をする気は毛頭なかったが、彼の恋人なら一目見てみたいと思った。

フランソワの好奇心を感じたのか、青年は横顔で小さく笑った。

「ここで、会えるはずなのです——私の女神に」

「会えるはず、とは？」

「私は今まで彼女に会ったことがないのです。多分、今日ここで、初めて会うのです」

「ここで初めて？」

フランソワはすっかり好奇心の虜《とりこ》になっていた。なぜだろう？　そんなことがあるだろうか。親の決めたいいなずけ？　戦争に行っていて婚約が遅れたのかもしれない。

「奇妙な話でしょう」

青年はフランソワを振り返ると、自分でも信じていないというふうに笑ってみせた。美しい笑顔をかすかな虚無がかすめたのを見て、フランソワは何か複雑な事情があることを感じた。幾ら好奇心に駆られているとは言え、それ以上根掘り葉掘り話をきくのはさすがに憚《はばか》られ、彼は口をつぐんで木の葉から滴《したた》り落ちる雨に目をやった。

「——あなたは絵描きですね？」

唐突に青年は前を向いたまま尋ねた。

フランソワは驚いたように彼を見た。

「なぜ分かったのです」

「テレビン油の匂《にお》いがしました。絵を描く私の友人も同じ匂いをさせていましたから」

これだけ草の匂いがたちこめているのに、よく気付いたものだ。フランソワは青年の鋭さに感心した。

「私は匂いに敏感なのかもしれません——血の匂い、死の匂いにも敏感でした。こんな兵士はたいして役に立ちはしません——人よりも先に恐怖に煽《あお》られ、友の死を誰よりも先に知るのです。戦場には恐怖の匂いがあります。恐怖は何よりも強く匂います――血の匂いよりも、死の気配よりも。匂いには色があって、恐怖は透き通った青をしている。セダンの空はよく晴れていて美しかった。しかし、空の下の地上はもっと――透き通った冷たい青でした」

青年はぼんやりとした顔で訥々《とつとつ》と呟いた。明晰《めいせき》そうではあるが、一方ではかなりのロマンチストのようだ。フランソワは、その落差にますます興味を覚えた。

「そして、匂いは記憶を刺激するのです」

青年はそこで小さく溜《た》め息をついた。

「そう思ったことはありませんか？　何か懐《なつ》かしい匂いを嗅いだ時に、過去の風景が目の前に広がったことは？」

青年はフランソワを見た。黒い瞳《ひとみ》がこちらをじっと見ている。フランソワはどことなく落ち着かない気分になった。青年は再び前を見ると、雨に視線を向けた。今、この青年の頭の中にはどんな風景が広がっているのだろう。

「確かに――私の家は農家だったから、干し草の匂いを嗅ぐと子供の頃に引き戻されますね。こういう雨に濡れた草の匂いも。弟たちと駆け回っていた夏の光を思い出す」

フランソワは、まだ冬の名残のある目の前の風景を見ながら呟いた。

「へえ――幸せな記憶なのですね」

青年は目を細めて首を少しかしげた。

「ええ」

フランソワは素直に頷いた。

「私にも記憶があります――なんと説明したらよいのか――実は私には、私にあるはずのないたくさんの記憶があるのです」

青年は戸惑うように口ごもりながら、ぽつぽつと話し始めた。


私の故郷はルーアンです。母方の祖父はイギリス人だったそうです。父は毛織物を扱う商人でしたが、母の家系は学者が多く、母も本が好きで私にいろいろなお話をしてくれました。私の夢見がちな部分は母から、それでいて現実的でシビアなところは父から受け継いだのでしょう。

私にも幸せな幼年時代がありました――両親は私を愛してくれましたし、守ってくれました。父は私に商売を継がせたがっていましたが、私としては、将来歴史の勉強をしたかったのです。母は密《ひそ》かに私を応援してくれていました。母方の親戚《しんせき》の甥《おい》を私の家庭教師に付けてくれましたし、学者をしている伯父の家によく連れていってくれました。すぐ下に弟と妹がいて、二人はどちらも社交的で人好きのする父に似ていましたから、母も私も心の中では商売はこの二人のどちらかが継げばいいと思っていました。

さて、私の『それ』がいつから始まったのか、私も記憶が定かではありません。最初にはっきりと思い出すのは、十歳の時のことです。

先程もちらっとお話しましたが、私には三歳年下の妹がいました。名前はアンヌと言って、栗色《くりいろ》の髪に明るい金色の瞳をしたおしゃまで可愛《かわい》い娘でした。私たちは、近所の農家の納屋《なや》で、農家の子供たちとよく隠れんぼをして遊んだものです。納屋の屋根や壁の隙間《すきま》から、きらきらしたオレンジ色の光がさしこんで、その中に藁《わら》の粉がちらちらと舞っていたのをよく覚えています。

ある晴れた日の夕方でした。私たちはいつものように納屋で遊んでいましたが、その日はとても蒸し暑く、早々にくたびれて納屋の積み藁の上で居眠りをしていたのです。私もうとうとしていましたが、ふと、誰かに呼ばれたような気がして目を覚ましました。

『エドワード！』

女の子の声でそう呼ばれて、私はハッとして身体《からだ》を起こしました。そして、納屋の天窓の下に、一人の少女が立っているのを見たのです。

その時私は、アンヌが立っているのかと思いました。アンヌの髪に、天窓から入った光が当たって金色に見えるんだと考えたのです。

しかし、そうではありませんでした。そこに立っているのは紛れもなく、天使のような金髪の美しい少女です。年齢は、その時の私よりも二、三歳上に見えました。真冬のような黒い上着を着て、髪が濡《ぬ》れていました。少女は私を見ています。少女の顔は、歓喜に溢《あふ》れていました。頰をバラ色に上気させ、私の顔をとても嬉《うれ》しそうに見つめているのです。灰色がかって落ち着いた碧《みどり》の瞳は、きらきらして今にも泣き出しそうです。私は目の前の存在が現実離れしていることも忘れて、恍惚《こうこつ》となりました。その少女に一目で魅入られてしまったのです。

『エドゥアール！』

もう一度呼ばれて、私は我に返りました。見るとそこにはアンヌがきょとんとした顔でこちらを見ています。私はきょろきょろしましたが、ほんの一瞬前に見た少女の影も形もありません。

『ずっとそこにいたの？』

私が尋ねると、妹は大きく頷きます。そして、どことなく怯《おび》えたような顔で私の目をのぞきこみました。

『どうしたの？　なんだか幽霊でも見たような顔をしていたわ』

幽霊。私は妹のその言葉に衝撃を受けました。私が見たものは幽霊であったのか。

正直言って、私はそんなに信心深い方ではありません。無論教会には行きますし、食前には祈りを捧《ささ》げます。妹たちの幸福のために祈りもします。しかし、神なるものが我々の生活を支配していることは感じるのですが、金に汚く貪欲《どんよく》で権力争いに終始する聖職者たちを見ていると、随分本来の神なるものと我々が乖離《かいり》していることに虚《むな》しくなるだけなのです。だから、私は奇跡というものに関心がありませんでしたし、そんなものが自分に起り得るなどと考えたことはありませんでした。

あの少女は幽霊だったのだろうか。私は随分悩みました。黄昏《たそがれ》どきのうたたねが見せたただの夢だったのか。しかし、あの声は妹のものではありませんし、私は確かに聞いたのです。それにあの表情、あの瞳。思い出す度にうっとりするような少女の姿を反芻《はんすう》するうちに、私は幽霊でもいいからもう一度彼女に会いたいとさえ思うようになりました。

それでも、暫く日々の生活を送るうちに、彼女の影は徐々に薄れていきました。十歳やそこらの少年には、他にも覚えなければならないこと、やらなければいけないことは幾らでも目の前に転がっています。彼女の姿はいつのまにか胸の奥にしまいこまれていきました。

それから二年ほど経《た》って、私はアミアンにある全寮制の学校に入ることになりました。

今にして思えば、初めて家族の元を離れて新しい環境に暮らすということで緊張していたのかもしれません。眠りが浅くなっていたのでしょう、私は何日も前から毎晩同じ夢を見ていました。

どう説明すればいいのでしょう——私は広い場所にいました。そこには、たくさんの人たちが集まっていました。天気が悪くて、時々稲妻が地平線を刺すのが見えます。

ものすごくたくさんの人達です。老若男女《ろうにゃくなんにょ》、みんな興奮して空を見上げています。どうやら何かを待っているらしいのですが、それが何なのか分かりません。それに、みんな奇妙な格好をしています。灰色の小さな帽子をかぶり、灰色の布を身体に巻き付けて、男たちは首に奇妙な形のリボンを巻いています。驚いたのは女たちで、身体にぴったりとくっついた衣装をつけ、なんと膝《ひざ》から下をむき出しにしているのです。

みんなざわざわと大声でお喋《しゃべ》りをしていましたが、内容はよく聞き取れません。

その広い場所は、下が真っ平らな石で固められています。石畳でもないのに、あんなにのっぺりとした石は見たことがありません。地平線には、これまた見たこともない大きな黒い鉄の塊《かたまり》があります。新手の兵器なのでしょうか。

そして——そして私は、絶望しながらその中を歩き回っているのです。夢の中の私は、既に成人していました。胸の中には張り裂けそうな苦しみがありました。大人がこんなにつらいものなら、大人になどなりたくない。夢の中で、これが夢だということをどこかで認識しながら私はそう考えていました。

毎晩その夢を見ました。夢の中で、私は暗い気分であてどもなく歩き回っています。私はいつも憂鬱《ゆううつ》な気分で目を覚ますのでした。当時、私たち兄弟は一緒のベッドで眠っていましたが、特にアンヌは私になついていましたし、私が遠くの学校に行ってしまうのをとても淋《さび》しがっていて、毎晩私にしがみつくようにして寝ていたのです。

妹は、朝になると不安そうな顔をして、私がうなされていたと言いました。

その夢を見始めて四日目の晩のことです。

それまでと同じように、私は夢の中で広い場所をさまよっていました。群衆は笑いさざめき、誰も私のことなど気にも留めません。私は前にも増して孤独な気持ちで、群衆の中をゆらゆらと歩き回っていました。

ところが次の瞬間、私は再びあの声を聞いたのです。

『エドワード！』

私はハッとして振り返りました。人垣が割れて、遠いところにあの少女が見えました。

忘れもしない、あの少女です。黒い外套《がいとう》を着た、金髪の少女。少女は喜びに溢れた顔で、私に向かって一目散に駆けてきます。

その時私が感じたのは戸惑いだけでした。夢の中の私は、彼女のことを知らないようなのです。こんなに親しげに走ってくる彼女を、なぜ夢の中の私は知らないのだろう？　なぜあの美しい少女に応《こた》えようとしないのだろう？　そう疑問を抱いたところで、この日の夢は終りました。

妹は翌朝も心配そうな顔で私を見ていました。

『エドゥアール、目の下に隈《くま》ができているわ』

そういうので驚いて鏡を見ると、確かにうっすらと隈ができていて、我ながら育ち盛りの少年の顔とは思えません。その顔を見て、私は初めて恐怖を覚えました。もしかして、私は何か魔性のものに魅入られているのだろうか。あの夢は、あの少女は何なのだろうか。私は夢を見るのが恐ろしくなりました。その日は近所の子供たちを誘ってあちこち走り回り、身体を疲れさせて眠ろうとしたことを覚えています。

しかし、それでも私は夢を見てしまいました。

前の晩の夢とは繫《つな》がっていないようでした。どうやら、前の晩の夢から時間が飛んでいるように思えたのです。

恐ろしい夢でした——雨の中、少女が私の腕の中で息絶える夢です。私は夢の中で絶望のあまり泣いていました。少女は、何かひどい事故にあったようです。身体はぐったりとして、こめかみと唇から血を流していました。それでも少女は私を見て笑っていました。血を流しながらも彼女の美しさは変わらず、あの吸い込まれるようなまなざしを私に向けているのです。悲しくて、悲しくて、私は夢の中で声もなく泣いていました。

前の晩にも増してぐったりして目覚めると、すっかり怯えていた妹が朝食の席で私に尋ねました。

『ねえ、エリザベトって誰なの?』

私はきょとんとしました。その名前には覚えがありませんでした。

『エリザベト?』

私が聞き返すと、妹は怒ったような顔で言いました。

『エドゥアールは明け方夢を見ながら泣いていたのよ。エリザベト、エリザベト、って、泣きながら何度も呼んでいたわ』

その時私は、妹も女なんだなあ、と思いました。どうやら彼女は私が見ている夢の中の女に嫉妬心《しっとしん》を抱いていたようなのです。

それよりも、その時母がとても驚いた顔をしたのにぎょっとしました。

『エドゥアール、本当なの？』

その目は大きく見開かれていて、あまりの真剣な様子に弟やアンヌまでびくっとしたほどです。

『名前を呼んだ覚えはないんだけど――確かに金髪の女の子が出てくる夢を見たよ。夢の中で、その女の子が死んでしまうんだ』

私が戸惑いながらそう答えると、母はじっと何かを考えこむような表情になりました。

その理由を知るのはずっとあとのことになるのですが。

アミアンに行った私は、すっかり夢のことなど忘れてしまいました。新しい生活、たくさんの同学年の友人や上級生たちは、あっというまに私を普通の快活な少年に引き戻してくれました。

ところが、入学して半年も経った頃です。

私はまた、幽霊を見たのです。

それも白昼、昼下がりのことでした。

私は食事を終え、食堂を出るところでした。いつも食堂の大きな扉は開け放してあるのですが、その日は朝から雨混じりの風がひどくて、風が吹き込まないように扉を閉めてあったのです。私は一刻も早く昼休みを友人と遊びたいと思っていましたから、真っ先に扉を開けました。

そのとたん、私はあっけに取られました。

目の前に、一人の若い女が立っていたからです。

彼女はあの少女にそっくりでした。しかし、生き写しですが別の人間のようにも見えました。それに、夢の中で息絶えた少女よりも、彼女はずいぶん年上でした。すらりとした立ち姿は美しく、気品に溢れ、しかも聡明そうに見えました。

やはり、前に見た夢の中の女たちのように、膝から下をむき出しにした一続きの茶色のドレスを着ています。

私はその場に立ち尽くしてしまいました。

若い女は落ち着いた表情で私に手を差し出します。

『はじめまして、先生。お目にかかれて光栄ですわ。エリザベス・ボウエンです』

彼女はにっこりと笑ってそう言いました。

エリザベス・ボウエン。

『エリザベト』

私がその声を、その名前を繰り返していると、突然目の前から彼女が消えて、私の周りでワッと喚声が上がりました。

『おい！　誰だよ、エリザベトって』

『どうしちゃったんだ、彼女の夢でも見たのかい』

『へえっ、エドゥアールの恋人はエリザベトだとさ！』

気が付くと、そこはいつもの食堂の廊下で、悪友たちがわいわい私をはやしたてています。エリザベト、エリザベト、エリザベト！

その一件のおかげで、私の恋人の名前はエリザベト、ということになりました。ぼんやりしていると、たちまち友人たちが騒ぎ立てます。しつこく彼女のことを聞かれるので、腹立ち紛れに、夢で見た存在しない少女だ、と正直に答えると、ますます彼等は喜びました。空想の少女に恋い焦《こ》がれる愚かな少年、というわけです。

誰なんだ、と私は彼女を密かに憎みました。執拗《しつよう》な友人たちのおふざけをかわしているうちに、あれだけ魅了されていた少女が疎《うと》ましく思えるようになったのです。彼女は美しく、魅力的だが、現実に存在する女性ではない。なぜ彼女は私の目の前に現れるのだろう。しかし、彼女は確かに私の名を呼んでいました。私のことを知っていました。あれはどういうことなのだろう。ずっと前に会ったことがあるのだろうか？幼い頃に、どこかで？ しかし、そうなると『先生』と呼び掛けられたのはなぜなのだろう？ それとも、私はどこかがおかしいのだろうか？

私は悩み、苦しんでいました。彼女の幻影を憎んではいたものの、やはり私が彼女に恋をしていたことに変わりはありませんでした。私は思春期にさしかかっていました。級友たちが町で見掛ける少女や故郷のおさななじみの話をしている時も、私はエリザベトの瞳《ひとみ》を思い浮かべていました。またここで噂話《うわさばなし》に加わらないとあれこれ言われるので、彼等の話に興味を示すふりはしていましたが。それに、みんなに美しいと言われている少女をどきどきしながら見に行っても、私の知っている、私に微笑《ほほえ》みかけてきたエリザベトの方が遥《はる》かに美しいのは間違いありません。確かに皆、噂されるだけあって可愛《かわい》らしいのですが、驕慢《きょうまん》であったり、粗野であったりして、私のエリザベトの気高さには及ぶべくもありません。しかし、話をしたい、その美しい髪に触れたいと思っても、彼女は実体のない存在なのです。やはりあれは魔物なのだろうか。私を現実から逃避させようとしている悪魔の見せる幻影なのだろうか。

思い余って、私は礼拝堂で学長に相談しました。幼い頃から見てきた幻影を、ことこまかに打ち明けたのです。学長もその解釈にはかなり戸惑っておられたようでした。しかし、結局はやはり少年の憧《あこが》れや迷いが見せる妄想であるという結論に達して、遠回しにそう説明されただけでした。私はがっかりしました。ただのうつけものと判断されたのと同じです。

しかし、学長に相談したあとも、私は何度も彼女を見ていました。あの茶色のドレスを着た若い娘を、無意識にドアを開けた瞬間、ドアの向こう側に見るのです。不思議なことに、意識すると見ることができません。このドアを開けるとエリザベトがいるかもしれない。そう思うと彼女はいないのですが、何かに気を取られている拍子にドアを開けると彼女が立っていることが続きました。彼女はいつも手を差し出し、にっこりと私に笑いかけ、同じ台詞《せりふ》を繰り返します。

『はじめまして、先生。お目にかかれて光栄ですわ。エリザベス・ボウエンです』

いつもここで彼女は姿を消してしまいます。

『なぜ僕なんだ。君はなぜ僕の前に現れるんだ』

姿を見た瞬間、そう叫んだこともありましたが、彼女に私の言葉は聞こえていないようなのです。にっこりと微笑んで私を見つめているだけ。誰もいない廊下に向かって叫んでいる私に、級友が気味悪そうな顔をすることもありました。

ところが、そんなある日、手紙が来たのです。

そこには、女性の文字で、

『もう我慢ができません。土曜日の夜、裏門の林のところでお目に掛かりましょう。エリザベス・ボウエン』

と書かれていたのです。それを読んだ時の私の驚きと喜びは、誰にも想像できますまい。ついに夢が現実になったのです。私のエリザベトに会うことができるのです。級友たちの悪戯《いたずら》だとは思えませんでした。私の架空の恋人がエリザベトだと言う名前は知っていても、ボウエンという名字までは誰も知らないはずです。私は歓喜のあまり、涙をこぼしたほどでした。とても土曜日の夜が待ちきれなかったのです。私は眠れぬ夜を、彼女に捧《ささ》げる詩を書いて過ごしました。拙《つたな》い言葉を飽かずに並べることで自分をなだめようとするのが精一杯でした。よく考えてみれば、いろいろとおかしな点があったのですけれど、当時の私にはそこまで頭が回らなかったのです。

ようやく土曜日がやってきました。私は朝起きた時から、自分の心臓が高鳴っていることを自覚していました。私の心臓の音が、周囲の友人たちに聞こえるのではないかと心配したほどです。あんなに夜が待ち遠しかったことは今までありません。

消灯してからも、私は全く眠ることができませんでした。いよいよ彼女に会えると思うと、身体《からだ》が震えだします。私は今でも、あの時の幸福だった自分を思い出すことがあります。ひょっとして、あの瞬間が一番幸福だったのではないだろうか、と。

暫《しばら》くして、私はそっとベッドを抜け出し、暗闇《くらやみ》の中を外に出ました。初夏の爽《さわ》やかな風が、星空の下で私の顔を撫《な》でていきます。さやさやと林の中の木の葉が揺れて、私を誘っているように感じられます。

私がどきどきしながら林の中に入っていくと、木陰でそっと誰かが顔を上げるのが分かりました。

『エリザベト？』

私は震える声で呼び掛けました。思えば、この名を口にするのは、彼女に向かって呼び掛けるのは初めてのことです。

木の向こうで、誰かが小さく頷《うなず》くのが見え、月の光に金髪がふわりと輝くのが見えました。私は思わず彼女に駆け寄りました。すると、彼女も木陰から転がるように出てくると私にしがみついたのです。私は感激のあまり、泣き出したくなりました。

『どんなに会いたかったか』

私は彼女の肩を抱きながら、切れ切れに囁《ささや》きました。頭の中は真っ白で、私はすっかり舞い上がっていました。

『あたしもよ、エドゥアール』

彼女も低くうっとりした声で応えます。その声を聞いた時、心のどこかに違和感を感じたのですが、感激が勝《まさ》っていて深く考えなかったのです。

『手紙を貰《もら》ってから、この日がどんなに待ち遠しかったか。毎晩君のことを考えながら、君を思って詩を書いていた——受け取ってくれるかい』

彼女は細い指で私がポケットから取り出した紙を受け取りました。

『おお、エドゥアール。あたし——あたし』

彼女はいっそう強く私の身体にしがみついてきます。私は大きく呼吸をして、心を落ち着けようと努力しました。最初の感激が過ぎ去ると、彼女にはいろいろときききたいことがありました。

『顔を見せておくれ。夢にまで見た顔。君はいったい何者なんだ』

顔をのぞきこもうとする私に対し、彼女はなかなか顔を上げてくれません。恥ずかしがっているのかと思い、いろいろ言葉をかけるのですが、彼女はなぜか渋っています。

『エドゥアール』

決心したように顔を上げた彼女を見て、私は息が止まるかと思いました。そこにいたのは、学長の娘のカトリーヌだったのです。私は驚きのあまり言葉も出ず、まじまじと目の前の顔を見つめていました。

『ごめんなさい、エドゥアール。こうでもしなきゃ、こうしてあたしに会いに来てくれることもなかったでしょう』

カトリーヌは私にしがみついたまま離れません。私は頭の中が混乱していました。確かに、よく学長を訪ねて学校にやってくるカトリーヌが、私に思いを寄せているという噂は聞いたことがありましたが、彼女は綺麗《きれい》で誇り高く、いつも取り巻きの生徒たちに囲まれていましたから、とても本気にはしていなかったのです。カトリーヌは、私の学長に対する告白をどこかで盗み聞きしていたのでしょう。エリザベス・ボウエンという名前を口にしたのは、学長にだけだったからです。

いろいろなことが頭の中をよぎり、私は呆然《ぼうぜん》としていました。カトリーヌは私を騙《だま》したことを謝り、私にさまざまな愛の言葉を囁きましたが、私は全然聞いていませんでした。私の頭を占めていたことは唯《ただ》一つ。エリザベトがいない、というその事実だけです。

　やはり存在していなかったのか。やはり私の生み出した幻の少女だったのか。その衝撃だけが身体の中を駆け巡っていました。

『エドゥアール――』

　私の腕をつかみ、私の顔を見つめていたカトリーヌは、やがてぐしゃりと顔を歪《ゆが》めました。みるみるうちに真っ赤になり、目から涙があふれだします。

『なぜ』

　私の失望した顔が、よほど彼女を傷つけたのでしょう。私が知っている中でも彼女は賢くて美しい少女です。彼女に憧れている生徒は山ほどいました。その彼女が身を投げ出して懇願しているのに、私はぼんやりとしているのですから。

『そんなどこにもいない女なんかに』

　そう言い捨てて、彼女は去って行きました。それでも私は、未《いま》だにエリザベトが存在していなかったという事実のみに打ちひしがれていて、彼女を追う気力もなかったのです。

　しかし、彼女は私を許しませんでした。彼女は学長である父に、私につきまとわれて呼び出され、乱暴されかけたと訴えたのです。私があの晩に彼女に渡した詩がその証拠として使われました。あっという間に噂は学内を駆け巡り、私は中傷され、教師に罵《ば》倒《とう》されました。私は何も弁明しませんでした。実際、校則を破って夜中に抜け出して彼女に会ったことは事実なのです。学長に呼び出された時も、私は何も言いませんでした。何よりも、エリザベトがいなかったという事実だけが頭を占めていて、他のことが考えられなかったのです。

学長は、自分の娘が嘘《うそ》をついていることに気付いているようでした。薄々事情を察していたらしく、私が何も言わないのを見て大きく溜《た》め息をつきました。私とて、彼女の気持ちが分からないわけではありません。思う相手に言葉が届かないという点では、私も彼女と同じなのですから。そう考えると、余計何も言う気になれませんでした。

学長は、他の生徒の手前、私を謹慎処分にせざるを得ないと告げました。私はそれを言葉少なに承諾すると、入学以来帰っていなかったルーアンに暫く戻ることにしました。

うなだれて家に帰った私を、母とアンヌは何も言わずに受け入れてくれました。どうやら、学長が詳しい事情を内々に両親に説明しておいてくれたようです。

その時私は十七歳になったばかりでした。父は商談でパリに、弟は他の学校に行っていて留守でした。アンヌはすっかり大人っぽくなっていて、以前のように私にまとわりつくこともなく、少し離れたところから私を見守っていました。

『エドゥアール、あなたに見せたいものがあるの』

母が突然、私を呼びました。

私は不思議に思いました。何を見せられるのか、全く見当がつかなかったからです。母は台所の隅の、古いものが入っている戸棚に行きました。子供の頃は、この戸棚の前の椅子《いす》で母に抱かれて昔話を聞かされたものです。

母は戸棚の奥から、表紙が擦り切れた茶色い革の本を取り出しました。初めて見る本です。母は取り出した本を手に載せてじっと表紙を見つめていました。

『これはなあに？』

私がきょとんとした顔で尋ねると、母は穏やかな笑みを浮かべて私を見ました。

『あなたのおじいさまの日記よ』

『おじいさまの？』

私は驚きました。母は祖父のお気に入りで、祖父の大事にしていた本は母に譲られたという話は聞いていましたが、日記まで引き継いでいるというのは知らなかったのです。

なぜ今ごろ祖父の日記を私に見せるのだろう。私が母の顔を見ると、母は何も言わずにぱらぱらと祖父の日記をめくっています。

几帳面《きちょうめん》な文字が、びっしりとページの隅々まで埋めていました。私と同じ名前だったという祖父。もちろん、私には英語で書かれているその日記は読めません。母は英語にも堪能《たんのう》ですから、慣れた様子でページに目を走らせるのを見ていると、母がこの日記を何度も読み込んでいることがうかがえました。

『私はこの日記が好きで、結婚してからも何度も暇を見ては読み返したものよ。おじいさまがそばで話をしているみたいで、いつも懐《なつ》かしくなるの』

母はにっこりと微笑みながらページをめくりました。

『あなたは本当におじいさまそっくりだわ』

母は顔を上げると私の顔をまじまじと見つめます。

『黒い髪、黒い瞳。大理石から切り出したような笑顔が美しくて、すらりとしていて。ちょっと夢見がちなところもそっくり』

母が愛《いと》しげに私の頭を撫でたので、私は小さな子供のような気分になり、少し気恥ずかしくなりました。

『――私はずっと、おじいさまの見た、ただの夢だと思っていたの』

母は真顔になると、奇妙な表情で私の顔を見ました。

『夢？』

『ええ。この日記を読む度に、不思議に思っていたのよ。おじいさまは芝居が好きだったから、何かそういう創作を書いているのではないかと』

『創作？』

私は椅子に腰掛けている母に寄り添って、祖父の日記をのぞきこみました。私に読めるわけではないのですが、何が母にそう言わせるのかを知りたかったのです。

その瞬間、私はギクリとしました。

Elizabeth Bowen

その文字が目の中に、ページから浮き上がるように飛び込んできたのです。それが人名であることは分かりました。そして、それをどう読むのかも。

私が凍り付いているのを見て、母は何かを確信したようでした。

『この日記によると——おじいさまは晩年、何種類かの夢を繰り返し見たというの。いつも同じ女性の夢。その女性の名前は——エリザベト。もちろん、おばあさまの名前ではないわ』

母は低い声でそう呟《つぶや》きました。

私は、母の口からその名前が出た瞬間、何かぞっとするような身震いを感じました。

『僕の夢と同じだ』

『そのようね。あなたが寮に入る前に夢の話をしているのを聞いてどんなに驚いたか。私が今まであなたにおじいさまの夢の話をしたかどうか必死に思い出そうとしたわ。でも、私がおじいさまの日記を読んでいることは誰にも言っていないの。だから、あなたが私から話を聞いたとは思えない。もちろん、この日記は英語で書かれているから、あなたが子供の頃にこっそり持ち出して読んだということも有り得ないわね』

『なぜだろう』

私がぼんやりと呟くと、母は首を振りました。もちろん、母に説明のできる事柄ではなかったのです。

『おじいさまは何種類もの夢を見ています。あまり詳しい説明はないわ——例えば、ここ』

母は開いているページの一か所を指さしました。私がギョッとしたページです。母は、その箇所を読み上げました。

白昼夢を見る。扉を開けると目の前に彼女がいる。エリザベス・ボウエンと名乗る。

茶色の服。知っている彼女。二十代半ばか。


再び私は衝撃を受けました。全く同じです。私と同じ夢——しかもやはり白昼に、祖父は見ているのです。そんなことがあるのでしょうか。世代を超えて、同じ幻を見ることなど。

母は私の衝撃に気付いているのか分かりませんが、次々とページをめくりました。前もって印を付けておいたらしく、ページに短い糸がはさんであるのに気付きました。私が帰ってくるのを待って、話をするつもりだったのでしょう。

『ここにもあるわ——』

母の目がページの途中でピタリと止まります。私はそれを、何か恐ろしいもののように息を詰めて見ていました。


温室に座っているエリザベス。老齢。

ほほ笑んでいる。私を見ている。

私は首をひねりました。これは私の夢には出てきません。

母はどんどんページをめくっていきます。やがて、険しい顔で、あるページで手を止めました。


広い場所。大勢の人々。騒いでいる。

下は平らな石。雨が降っている。

私は世にも憂鬱《ゆううつ》な気持ちで、一人その中を徘徊《はいかい》している。エリザベスは何処《どこ》？

私は聞き耳を立てました。それは、まさしく私が寮に入る前に見ていた夢に他なりません。母は読み続けました。


駆けてくる娘。私にしがみつく。私は、この夢の中では彼女をまだ知らない。彼女は私に何か説明している。理解不能。私はエリザベスと歩く。何かを待っている群衆。

後半部分は、私の夢から欠けていました。なぜかは分かりませんが、私の夢では後半部分はなかったようです。

エリザベスは何か大きなものにぶつかる。私を助ける。私の腕の中で死ぬ。後悔と慟哭《どうこく》。娘は私にハンカチーフを渡す。あまりにも悲しい夢。

ずしんと胸の中を痛みが駆け抜けました。

やはり、祖父もあの夢を見ていたのです。あの美しい少女が自分の腕の中で息をひきとる夢を。祖父も、どんなに混乱したことでしょうか。私は切なさと同時に、じわりと心強さを感じました。

『これはあなたも見た夢なの？』

母がどことなく青ざめた顔で私に尋ねました。私は小さく無言で頷《うなず》きます。最初は興奮した様子でページをめくっていた母は、だんだん気乗りしない表情になっていきました。自分の目の前で、説明のつかないことが起きているからなのでしょう。自分の父と、自分の息子が同じ夢を見ている。しかも、同じ女性が出てきて、その女性の生死を夢に見ているのです。それは、どう考えてもあまり縁起が良いとは思われません。
それでも私はじっと母の手を見つめていました。ここまできて、他の夢の説明を聞かないわけにはいきません。私のその気迫が伝わったのか、母はあきらめたような顔で次のページを開きました。

空を飛ぶ鳩《はと》。群衆の歓声。これはいつのエリザベスだろう？　随分古い時代のように思える。

その短い記述にも、心当たりはありませんでした。私はまた少しだけ首をかしげました。
母は私の反応を見てから、また別のページを開きました。

晴れ渡った空。平原を埋め尽くす兵隊、兵隊。青い服を着た兵士の群れ。一斉に戦闘開始。倒れる兵士。たくさんの死者。青い空。

私はまたしても首をひねりました。記憶にありません。この夢はまだ続くらしく、母は読み続けました。


私は怪我《けが》をしている。暦が浮かぶ。三月十七日。この日付だけが頭に浮かぶ。

足が痛い。雨。雷鳴。ゆるやかな丘を越えた農園。林檎《りんご》の木。

空に二重の虹《にじ》。その下をくぐるように、エリザベスがやってくる。白いドレス。

女神のように美しい。祝福されているような歓喜に満たされる。


この夢はここで終りのようです。しかし、これは私の夢ではありませんでした。

母は小さく溜め息をつきました。

『もう一つ、あるわ。でも、これは夢ではないの。最後の方なのだけど——』

母は日記のおしまいの方のページを開きました。黄ばんだ余白が、祖父の人生に幕が降りたことを暗示していて、やけに目にしみるように感じたのを覚えています。

母は、ごくりと唾《つば》を飲んでからその部分を読みました。


ついに、私のエリザベスに会う。老いてはいたが、やはり彼女は美しかった。

そして、理解した。

魂は全《すべ》てを凌駕《りょうが》する。時はつねに我々の内側にある。

命は未来の果実であり、過去への葦舟《あしぶね》である。


祖父の日記はそこで終わっていました。

私と母はなんとなくがっくりと二人で肩を落としました。二人とも疲れていました。

『これで終わりなの？　これは、おじいさまの見た夢ではないの？』

私は尋ねました。母は疲れた顔で頷きました。

『ええ。他の部分は、はっきりとこれは自分の見た夢だと断ってあるわ。でも、ここは違うの。おじいさまはエリザベトに会ったと書いているのよ』

『この最後の文章はどういう意味なんだろう？』

私は日記を取り上げてその部分に目をやりました。


魂は全てを凌駕する。時はつねに我々の内側にある。

命は未来の果実であり、過去への葦舟である。


『さあ――聞いたことのない言葉だわ。何かの引用のようだけど。でもね』

母は私の手から日記を受けとると、表紙を指差しました。

『これを見て』

そこには、最初は刻んであったらしい擦り切れた紋章がありました。

『これは、何の紋章なのか分からないの。何でこんなところに刻んであるのかも』

私はじっと目をこらしてその紋章を見つめました。中央の楯《たて》もすりきれ、左右のサポーターも消えかかっていますが、サポーターの片方が一角獣であることは分かります。模様のほとんどが見えません。しかし、上に掛かっている巻物の中に書かれている字は判読できました。母はその巻物を指差しました。

『ここに書かれているのがモットーだということは分かるわね？　ここにはこう書かれているのよ——魂は全てを凌駕する。時は内側にある』

『同じ言葉だね』

私と母はじっとその紋章を見つめていました。謎《なぞ》はますます深まるばかりです。

しかし、私はとりあえずどこかでホッとしました。私一人だけではないということに励まされたのかもしれません。

祖父の日記が、急に異様な重みを持って私に迫ってきました。

『この日記——僕が持っていてはいけないかしら？』

私はおずおずと母に尋ねました。母はきっぱりと首を振りました。

『それはいけないわ。私が死ぬ時には、これはあなたに残します。でも、今は私のものです。私は、あなたがあなたの夢に捕らわれないで欲しかったから、今日この日記をあなたに見せたの。夢の女性なんて忘れてちょうだい。確かに不思議な因縁を感じる話だけれど、あなたには生きている人間を大事にして欲しいのよ』

母の言うことはよく分かりました。実際、母と話をしているうちに、それまで私の意識の中で大きな面積を占めていたあの少女の存在が、すうっと冷たく固まって遠ざかっていくように感じたのは確かです。その時の私は、少女の夢など忘れて普通にやっていけそうな気になりました。しかし、その一方で彼女の夢に未練を感じたことも事実なのです。そこで私は、もう二度と夢の話などしない、夢に気を取られないからと約束した上で、祖父の日記の夢の部分だけ、訳して書き写して欲しいと母に頼みました。母は最初渋りましたが、その写しは自戒として持っていたいのだと主張すると最後は折れてくれました。そして、私は母との約束を実行しました。母の訳を何度も読み返し、ほとんど覚えてしまいましたが、その内容を口にしたりすることは一切なくなったのです。

私はふっきれたように感じました。暫《しばら》くして学校に復帰することもできました。最初はいろいろ嫌味も言われましたが、生徒たちも本当はカトリーヌの狂言だったということに気が付いていましたし、私が噂《うわさ》をとりあわず勉学に専念していたので、そのうち誰も何も言わなくなりました。

しかし、思わぬところで運命の流転《るてん》がありました。

私が学校に再び慣れ始めた頃、商談でパリに行っていた父が、当時流行していたコレラに罹《かか》って戻ってきたのです。最初は症状が軽かったために気付かず、父の持ってきたお土産を食べた母と妹も罹患《りかん》してしまい、たちまち発病したかと思うと、三人は続けざまに亡《な》くなってしまいました。それは本当にあっという間のことでした。あまりにも突然で、知らせを聞いても信じられませんでした。悲しむ暇もなく学校を辞めさせられて呼び戻された私は、弟と一緒に父方の伯父に引き取られました。しかし、伯父は最初から父の財産をむしりとるのだけが目的でしたから、私と弟はたちまち下男として酷使されるようになりました。食事にも事欠くようになり、私は母方の伯父にこっそり手紙を書いて弟に持たせ、二人は別々の方向に逃げ出しました。それが昨年の六月のことです。既に、プロイセンとの開戦は間近に迫っていました。私は軍に志願し、その給金を伯父に送って弟の面倒を見てもらおうと思っていたのです。しかし、それきり弟にも伯父にも連絡が取れていません。

長い話を終えて、青年は小さく溜《た》め息をついた。

夢中で話に聞き入っていたフランソワもふっと肩の力を抜いた。

雨は小降りになっていたが、まだやみそうになかった。

あまりにも不思議な話だった。祖父と同じ夢――同じ少女。

青年は疲れたように、じっと膝《ひざ》の上に腕を組んで彼方《かなた》を見つめていた。

「あなたのおじいさまの日記は今どこにあるのですか？」

フランソワは尋ねた。

青年はちらっとフランソワを見た。

「行方知れずです――家にあったものは、何もかも売り払われていました。実を言うと、私は引き払う前に一度家を訪ねているんです。私と弟の必要な衣料品を持ち出すために。けれど、伯父は私たちが何か金目のものを持ち出すのではないかと目を光らせていましたから、祖父の日記を持ち出すことはできませんでした。でも、私は最後にもう一度あの日記を開くことはできたんです。そして、実はそこでこれを発見したのです」

青年は、胸の内側のポケットから一枚の華奢《きやしや》なレースのハンカチーフを取り出した。

黄ばんでいて、かなりの歳月が経《た》っていることが分かる。古びているが、しっかりした品である。

フランソワは受けとったハンカチーフを見た。

ふと、隅の縫い取りが目に入った。

from E. to E. with love

「祖父の日記の革の表紙と本の表紙との間に挟まっていたのを見つけたのです。私の夢にはなかったけれど、祖父の夢の一つに、死んでゆく少女からハンカチーフを受けとるという描写があったのを覚えていますか？　それが気になっていたので、こっそり持ってきたんです。ずっと戦場でもここに入れていました」

青年はフランソワからハンカチーフを受け取ると、じっと縫い取りに見入ってから再び胸ポケットに大事そうにしまいこんだ。

「本当に不思議なお話ですねえ」

フランソワは小さく呟《つぶや》いた。

青年は、この誠意ある聞き手に対して柔らかな微笑を向けた。

「信じていただかなくてもいいんですよ。雨宿りの暇潰《ひまつぶ》しにちょうど良かったと考えていただければ」

青年は疲れたように肩を回し、座り直した。フランソワもそれに倣《なら》う。

彼の話は、とても作り話には思えなかった。本当だとすれば、神はなんという悪戯をなさるのだろう。なんのためにそんなことをなさるのだろう。

そう考えながら、フランソワはふと最初の青年の発言を思い出した。

「あなたはさっき、ここであなたの女神を待っていると言いましたね。じゃあ、その女神というのは――」

フランソワはそう言いながら、背中をざわざわと奇妙な予感が走るのを感じた。

エリザベト？

青年は膝の上に俯《うつむ》き、目を閉じて笑った。

まさか。そんなことが起きるはずはない。

フランソワは、自分の心臓がどきどきしているのに苦笑していた。

「――実は、まだこの話には続きがあるんです。お聞きになりたいですか？」

青年は静かな黒い目でフランソワを見た。試しているような、面白がるような顔だ。

フランソワは一瞬迷った。聞くべき話でないのではないだろうか。ひょっとして、これは神をあざむく、異端へと繋《つな》がる話なのだろうか？

自分の目の前にいるのは悪魔なのかもしれない。フランソワはこわごわ青年の目を見た。しかし、そこには水のように落ち着いた、どこか悲しげな目があるだけである。

フランソワは半ば空恐ろしいものを感じながらゆっくりと頷いた。

青年はホッとしたような、それでいて落胆したような顔で口を開いた。


プロイセンとの戦争は、さっきも言いましたが予想以上に悲惨で無謀なものでした。かつての戦争で名を上げた将軍も名を連ねていましたが、既に彼は過去の栄光にすがる老人に過ぎませんでした。偉大なる大ナポレオンの名を継いではいても、イギリスに逃げてしまった閣下など論外です。規律も指揮系統も統一されておらず、ろくに訓練も受けず武器も使いこなせない兵士の集団が、よく訓練された兵士と、迅速な輸送力を持ったプロイセンに勝てるはずがありません。

最初、私はとにかく怒っていました。自分の無能さに、指揮官の無能さに、こんな勝ち目のない戦を始めた将軍に、閣下に、感情的に開戦を叫んだ国民に。しかし、やがてそれにも疲れて、感情の麻痺《まひ》した状態がやってきました。何しろ、昨日まで隣で笑っていた人間が無謀な突撃命令で虫ケラのように死んでいくのです。まともな下士官も、明らかに誤った状況判断による命令に従ったためにむざむざ命を捨てなければなりません。私は麻痺した心で、ただ言われるままに走り回っていました。敵が現れれば撃ち、刺し、逃げる。感情も良心も、全てが萎《な》えて、ただの人殺しの道具としてかけずり回る。そのこと自体には何の感傷もありません。戦争とはそういうものですから、甘いことを言うつもりはありません。けれど、無駄に浪費されるとなれば話は別です。

でも、怒ったり無視したりしていたうちはまだ良かったのかもしれません。

やがて、さっきも話したような恐怖がやってきたのです。ある日突然、私は恐怖の匂《にお》いを感じるようになりました。戦場に出ると、どこにでも恐怖の匂いはあります。最初の瞬間にその匂いを嗅《か》ぎとると、身体《からだ》の中で一気にそれが膨れ上がります。そうすると、いてもたってもいられなくなって、私は自分が恐怖の渦に投げ込まれたことを知るのです。戦場に立っている、敵に向かっている、そのことだけで深い谷底に放り出されたようなすさまじい恐怖を感じます。次の瞬間にも、銃弾や銃剣がどこかに突き刺さるのではないかと思うと、身体じゅうが熱いのか冷たいのか分からない汗でびっしょりになり、がくがくと全身が震えてくるのです。いったん恐怖の匂いに肺が満たされると、それは容易に出ていってはくれません。ありとあらゆる最悪の状態が頭の中に浮かび、全身が既に血まみれになっているような錯覚を覚えます。私という人間がずたずたに破壊され、言うことをきかなくなった身体をさらし、戦場の土に、空気に、狂気の中で散らばっていく幻影を、心の片隅で歯を食いしばって見守るしかないのです。

セダンの戦いは、そんな私の恐怖が頂点に達した戦いでした。あまりの恐怖に、恐怖を感じるだけの体力も神経も疲弊《ひへい》しきって蒸発してしまったように感じたほどでした。私はすくんで動けませんでした。

私は目のくらむような恐怖で全身に鳥肌を立たせながら、空を見上げていました。その時です。私は、突然奇妙な懐《なつ》かしさに襲われたのです。

真っ青な美しい空でした。

一瞬目の前が見えなくなりました。私は、目の前の光景を知っているような気がしたのです。ああ、とうとうこの日が来たか、と私は思いました。あまりの恐怖に、自分は気がふれたのだと思ったのです。

しかし、暫く時間が経ってみると、自分が冷静なのに気が付きました。私は、いつのまにか、どこでこの光景を知ったのかを考えこんでいたのです。

青い空は一点の曇りもなく晴れ上がっています。

私は空を見上げ、目の前に広がる平原を見ました。目の前には、青い軍服を着たプロイセンの兵士たちがずらりと波のように待機しています。

その瞬間、頭の中で何かが弾《はじ》けました。

祖父の日記です。

あの中にこのような光景があったのです。

ふっと頭の中に、かつて覚えた祖父の夢の記述がくっきりと浮かびました。紙に書かれた、母の丁寧な文字が。


晴れ渡った空。平原を埋め尽くす兵隊、兵隊。青い服を着た兵士の群れ。一斉に戦闘開始。倒れる兵士。たくさんの死者。青い空。


まさに、今私の眼前に広がっている光景ではありませんか。

あまりの衝撃に、私は恐怖すら忘れていました。

私の混乱をよそに、戦いは始まりました。たちまち戦場は阿鼻叫喚《あびきょうかん》に包まれ、悲鳴と金切り声がそこここから聞こえてきます。

これはどういうことなのだろう？

突撃を繰り返しながら、私は考えていました。

プロイセンは高台に凄《すさ》まじい数の砲台を集結させています。雨あられと砲弾が降り注ぎ、火柱と土煙で視界が遮《さえぎ》られ、でこぼこだらけになった足場に爪先《つまさき》を取られた私は、地面に投げ出されました。

その刹那《せつな》に、私は理解したのです。

私は自分に訪れた天啓にぼうっとしながら身体を起こし、再び駆け出しました。

しかし、走りながらも、頭にはその考えが輝いていました。

祖父は、未来の夢を見ていたのだと。

彼は、将来私が体験する出来事を夢に見ていたのです。私が見た夢もそうなのでしょう。将来、私の子孫——なのかどうかは定かではありませんが——が経験する出来事を見ていたのです。だとすれば、私は——

そこまで考えた瞬間、私は両足に焼けるような痛みを感じました。

進もうとしても、前に身体が進みません。上半身だけが前に動き、私はその場に崩れ落ちました。撃たれたのです。両足からどんどん血が流れ出していくのを感じました。それは、むしろ心地好《よ》い感覚でした。足が温かくなり、ふうっと身体が宙に浮かんでいくような感じなのです。血と共に、それまでの恐れが一緒に地面に流れ出していくような錯覚すら覚えました。

私は急速に遠ざかる意識の中で、祖父の日記の一節を思い出していました――


私は怪我《けが》をしている。／足が痛い。


私は死にませんでした。戦いが終わったあとで、まだ私の息があるのに気付いた上官が運び出して懸命に応急処置を施してくれたのです。

苦痛の呻《うめ》き声と、血と膿《うみ》の匂いが充満する重傷者たちの間に横たわりながら、私はただ一つのことばかり考えていました――私も――私も、私のエリザベスに会えるかもしれない、と。


ポツポツと、雨音がまばらになった。空の隅の雲が切れて、薄日がさしてきたのが目に入る。遠くでゴロゴロと雷の鳴っているのが聞こえてきた。

フランソワは固唾《かたず》を呑《の》んで青年の話を聞いていた。

話し終わった青年は、むしろ安堵《あんど》したかのように放心している。

「──それで？」

フランソワは緊張した声で尋ねた。

「それで」

青年は気の抜けた声で続ける。

「立てるようになるのに二か月近くかかりました。伝い歩きをするのにさらに二か月。さらに自力で歩くのに一か月。私はひたすら歩行訓練に励みました。どうしても、行かなければならなかったからです──彼女に会いに。そして、ようやく歩けるようになって」

青年はつかのま言葉を切った。

「──私は逃げました」

青年の瞳《ひとみ》には、祖父の日記を翻訳した母の文字がはっきりと浮かんでいたに違いない。


私は怪我をしている。暦が浮かぶ。三月十七日。この日付だけが頭に浮かぶ。

「──今日が何日だか覚えていますか」

おもむろに、青年はフランソワをちらりと振り返った。

そうきかれて、フランソワは愕然《がくぜん》とした。喘《あえ》ぐように口を開け、信じられないという表情でぼそりと呟く。

「三月十七日だ」

青年は満足げに頷《うなず》いた。

「そうです。今日です。祖父は、もう一つ大きなメッセージを私に対して残してくれていました——三月十七日。この日は、私の母の命日なのです」

地面を這《は》うように、遠雷が響いていた。

「私はこれでどこに行けばよいのかが分かりました。母の埋葬されている墓地です。私は昼も夜も歩き続け、廃屋で野宿をして、ひたすらこのシェルブールを目指しました」

雨は止《や》もうとしていたが、雷は不気味な唸《うな》りを上げていた。

ピカッと稲妻が光り、二人は同時にびくりと身体を震わせた。

沈黙を置いて、ズシンと地響きがした。どこか離れたところに落ちたようだ。

「——そして私は」

青年はそう呟くと、ゆっくりと林檎《りんご》の木の下で立ち上がった。

「この場所を見つけたのです」

フランソワは青年の背中を見ながら、その前に広がる風景を見つめていた。初めて見る風景のように、全身に粟立《あわだ》つ驚愕に包まれて。

彼の前には美しい風景が広がっていた。かつて彼の祖父が夢で見た風景が。


雨。雷鳴。ゆるやかな丘を越えた農園。林檎の木。


突然、雲が切れて、あまりにも眩《まばゆ》い光が差し込んだ。

フランソワは、青年の輪郭を光が包むのを見た。青年は目を細め、空を見上げた。

青年の彫刻のような横顔を、光の線が縁取っている。フランソワは無意識のうちに指を組んでいた。なぜか彼の後ろ姿に向かって祈りたいという衝動を覚えたのである。

農園に光が降り注ぎ、風景の色を鮮やかな緑に変えた。

それは見ている者の気分を高揚させるような、劇的な変化だった。

「おお。虹《にじ》が」

青年は感動したような声で呟いた。フランソワは、青年の指差す方向に目をやる。

心の震えを感じた。

空に二重の虹。

フランソワは、その瞬間恐怖を覚えた。何か空恐ろしいことが、自分の理解を超えた出来事が目の前で起きようとしているという予感に背筋が寒くなったのである。

まだどす黒い雲が空を覆《おお》っているが、強い意思を持った光は幾つもの筋を描いて自分たちの領分を広げていた。黒い雲と明るい空の橋渡しをするかのように、二重の虹が大きく天に掛かっている。

フランソワは声にならない呻き声を上げた。

青年はぶつぶつと何かを呟《つぶや》いていた。恐らくは、祖父の日記に書かれていた言葉を。

空に二重の虹。その下をくぐるように、

二人は虹の下に視線を引き寄せられていた。同時に、誰か人のいる気配を感じたのだ。

まさか、そんな。

フランソワは目を凝らした。青年も、瞬《まばた》きもせずに虹の下の茂みを見つめている。

次の瞬間、茂みが大きく揺れた。

フランソワは、青年の後ろで身体を起こしたまま息を呑んだ。

まるで舞台を見ているかのように、すらりとした若い娘が現れた。

裸足《はだし》で、裾《すそ》を持ち上げた白いドレスが日の光に輝く。

魔法を見ているような、現実感のない光景だった。

娘は、立っている青年に気が付くと、足を止めた。


空に二重の虹。その下をくぐるように、エリザベスがやってくる。


二重の虹を戴《いただ》いた娘は、かすかに口を開き、大きく目を見開いていた。その顔に、見る見るうちに激しい歓喜が広がっていく。フランソワは、全身に鳥肌が立つのを感じた。

娘はゆっくりとこちらに向かって駆けてきた。

女神のように美しい。いや、そのような表現では、到底こちらに向かってくる娘の美しさは表しきれなかった。

ゆるやかな金髪は、内側から光を放っているようにすら見えた。恥じらいと驚きに彩《いろど》られた笑顔は、正視していることが怖くなるほどみずみずしく輝いている。女神のように美しい。違う。これは女神そのものだ。光とともに農園に降り立った女神なのだ。

フランソワは恐ろしくなった。

来ないでくれ。私の方になど、やって来ないでくれ。あれは、この世ならぬものだ。近くにあってはならないものだ。あまりにも恐ろしすぎる。神は私に何を見せようとしているのだ？　この老画家の手に余る、到底描くことのできない美を見せつけようとしているのだろうか？　何も描けない、美の下僕にすらなれない哀れな老画家に？

フランソワは、自分でも気付かないうちに手で顔を隠しながら木陰の奥へと後退《あとずさ》りしていた。

すると、それまで棒立ちになっていた青年が、ようやくよろりと足を踏み出した。彼も、彼女のあまりの神々《こうごう》しさに恐怖を覚えていたのかもしれない。

「エドゥアール！」

その声を聞いたとたん、青年は全身を震わせた。

この声だ。これが、彼のエリザベトなのだ。表情豊かで、知的で、その癖激しい情熱を秘めていて——今、彼の身体《からだ》がどんな歓喜におののいているのかと思うと、フランソワもじわじわと歓《よろこ》びがこみ上げてくるのを感じた。

青年は転がるように駆けていくと、少し離れたところにある、まだ若い林檎の木の下で彼女と向き合った。

フランソワは、いつの間にか自分の目から涙が流れているのに気が付いた。いつもの痛みのせいではない、温かい涙。

向き合って立っている二人は、一幅の絵というよりも、神話の彫刻のように見えた。

「エドゥアール、あなたなのね。今度もまた会えたのね」

娘は感きわまった表情で青年を見上げた。青年も、ただひたすら無言で彼女を見下ろしている。

「やっと、会えた。私のエリザベトに。何年も待っていた」

青年は切れ切れに呟いた。

「あなた、足を。怪我しているの？」

娘は青年の足元に目をやると、表情を曇らせた。

「いや、もう治った。君に会うために、治ったんだ」

二人はじっとその場に立っているだけで、どちらも手を触れようとしなかった。ただ目の前にお互いがいるというその事実に酔っているようだった。そして、二人の立っているその場所だけが、神に祝福されているように輝いて見えた。

「ああ、会えるとは思わなかったわ。馬が雷に驚いて、落ち着くまで暫《しばら》く休ませることになったの。レオポルドと御者が、馬を見ているから少し散歩してくるといいと言われて、なんとなくこっちに歩いてきたの。ここの風景が目に入った瞬間、ここなんだという確信に身体が震えたわ。この農園の風景は夢に見ていたけれど、まさか、ああ、ここがその場所だとは。こんなところであなたに会えるなんて!」

娘は涙ぐんだ。青年は、ふと気付いたように娘の顔をのぞきこんだ。

「レオポルドというのは?」

娘はハッとしたように目を見開き、すぐに目を伏せると低く呟いた。

「私の——夫です。私はイギリス人なの——先週結婚式をあげて、彼の故郷を見るために、ここに」

青年が真っ青になるのが分かった。

「なぜ」

かすれた声で尋ねる。娘は俯《うつむ》いた。

「二十も年上の、一度しか会ったことのない男だわ。でも、父の事業が」

やっとそれだけ言うと、娘は顔を背けた。青年は恥じるような、傷ついたような複雑な表情になった。

一陣の冷たい風が吹き抜けたようだった。

「なぜ、僕たちは、こうして」

青年は空を仰いだ。娘の顔が歪《ゆが》む。

「分からない――分からないわ。でも、会いたいのよ。あなたもそうでしょう？　私たちは何度も出会っている。結ばれることはない。でも、離れた瞬間から、会う瞬間を待ち続けている――生まれる前も、死んだあとも。理由なんて分からないわ――でも、会いたかったのよ。そうじゃなくて？」

青年は空を仰いだまま溜《た》め息をついた。

「そうだ。その通りだ。でも、なぜなんだ。なぜ僕たちなんだ。確かに、さっき君の姿を見た瞬間、この瞬間を超えることはもう一生ないだろうという喜びを感じたよ。でも、その次の瞬間から、今度は別離の痛みが前にも増して激しく僕たちを苦しめる。僕たちが何をしたというんだ。どうしてこんな目に遭わなければならないんだろう」

抑えようとしていても、その声には理不尽なものに対する怒りが滲《にじ》んでいた。

娘は泣き笑いのような表情になり、ふっと林檎の木の幹にもたれかかる。

「それはきっと——」

突然、頭上で激しい稲妻が炸裂《さくれつ》した。世界が沈黙の白い箱に沈む。

空がひびわれるように二つに裂け、その切っ先が若い林檎の木目指して落ちてくる。

が、フランソワは白い世界の中で見た。

青年が驚くべき早さで娘を幹から引きはがし、木から遠くへ突き飛ばすのを。

その光景と前後して、耳を貫く轟音《ごうおん》と激しい地響きが世界を覆い尽くした。

気が付くと、フランソワは地面に伏せていた。

焦《こ》げ臭い匂《にお》い。辺りに、焼け跡のような薄い煙が立ち込めている。

まっぷたつに裂けた林檎の木がぶすぶすと燻《くすぶ》った煙を上げていた。

フランソワは二人の姿を探した。

再び世界が色を取り戻し、静寂を取り戻した頃、地面に倒れていた娘はのろのろと起き上がった。傍らに倒れている青年を見て真っ青になる。

「エドゥアール！　エドゥアール、大丈夫なの？」

悲鳴のような声で娘が青年に駆け寄った。白いドレスが泥に汚れている。

「——だいじょうぶ」

少し間を置いて、ゆっくりと青年は身体を起こした。一瞬、全身を痙攣《けいれん》させたが、何度も瞬きをして息をつく。軍服の背中が焦げているのが見え、フランソワはギョッとしたが、どうやら無事らしい。

「エドゥアール。おお、ごめんなさい。私が――私が木に寄り掛かったりしたから」

娘は泣き顔になって青年の腕をつかんだ。

「平気さ。耳がちょっと変になったけど。ああ、驚いた」

青年は静かに笑うと、何気なく自分の腕をつかんだ娘の手を押さえた。二人の動きが止まる。

互いに真顔になる。

青年は、娘の手を暫く握っていたが、やがてそっと放し、胸ポケットを探ってレースのハンカチーフを取り出した。

「ドレスが汚れてしまった。顔にも泥がついているよ」

青年は優しく娘の顔を拭《ぬぐ》う。娘はじっとされるままになっていたが、やがて恐る恐る両手を伸ばして、自分の顔に当てられている手を包んだ。唇が歪み、見る見るうちに涙が流れ出す。

「――エリザベト！」

遠くから太い精悍《せいかん》な男の声が聞こえてきて、二人はハッと視線をそちらに向けた。

「エリザベト！　どこだ？」

二人は手を握りあったまま、ゆっくりと立ち上がった。

「エリザベト！」

声が近くなる。二人の顔に焦《あせ》りが浮かんだ。

「エドゥアール。エドゥアール、またきっと」

娘は必死の形相《ぎょうそう》で青年の目を見た。青年は、その視線を柔らかな、しかし一歩下がったような表情で受け止める。

「うん。きっとまた――」

その声には、最早《もはや》達観したような調子があった。

娘は目をこすりながら早口で低く叫んだ。

「さっき言いかけたのは、きっと、こういうことなの。なぜこうなるのかは分からない。でも、私の心はいつもあなたと一緒にいる。私の魂はいつもあなたを愛しているわ」

「エリザベト！」

威嚇《いかく》的な声は、すぐそこまで迫っていた。娘は、ごくりと唾《つば》を飲み込むと、大きな声で叫んだ。

「はぁい、ここよ！　今すぐ行くから戻っていて。雷が落ちて驚いたのよ」

娘はすぐに視線を青年に戻した。

二人の間にある何かが壊れそうだった。

二人が向き合った瞬間に結びつき光を放ったものは、既に光を失い間もなく崩れだそうとしていた。

「――僕は、分かったんだ」

青年は穏やかな声で呟いた。

「なぜ今日ここで君と出会ったのか」

「なぜ？」

真っ赤な目で娘が尋ねた。青年はふわりと微笑《ほほえ》んだ。

「それは、この次会った時に教えてあげるよ」

青年は、かすかに腕に力を込めて、娘を押し出した。

二人の手が離れ、娘の手に白いハンカチーフが残る。

「お元気で、エリザベト」

青年が、娘の目を見ながらはっきりと言った。

それでも、二人はなかなか離れようとはしなかった。二人の何かが重くひびわれて、どんどん色を失っていくのが見えるようだった。

ついに、耐えきれずに青年が目をそらし、地面に視線を向けた。

けれども絶望の加速は止められない。

輝いていた世界は暗転した。そのあまりの落差を受け入れられないのか、娘は虚《うつ》ろな目で宙を見つめている。

「エドゥアール」

唇から零《こぼ》れるようにその名を呼んだ。青年はじっと目をそらしたままだ。

「私のライオンハート」

火が消えるように呟《つぶや》くと、娘はハンカチーフを握りしめて罪人のようによろよろと元来た道を戻り始めた。

青年は我慢し切れぬように顔を上げて、娘の姿を追う。

何度も振り返り、足が鎖で繋《つな》がれているかのように重い足取りで、娘は少しずつ遠ざかっていった。

青年は、裂けた林檎《りんご》の木の脇《わき》に石のように立ち尽くしていた。ぴくりとも動かない。

フランソワは、その広い背中をじりじりしながら見つめていた。今、彼はどんな表情で彼女を見送っているのか――そう考えると、つらくて見ていられなかった。

こんなむごいことがあってよいのだろうか。

たったこれだけ。何年も夢見て、戦地をくぐりぬけ危険を冒してここまでたどりついて、その報酬がたったこれだけだなんて。ほんのひとときき向き合っただけの、あまりにも短い逢瀬《おうせ》。

フランソワは顔を歪め、地面に視線を落とした。

なんと、むごい。神は時に信じられぬようなむごい仕打ちをなさることよ。

そして、女神は去った。

静かな農園に、青年は一人残された。彼は暫くその場にじっと立っていた。

二重の虹《にじ》はいつのまにか一重になり、その一つも両端が薄くなって、幻のように消えかかっていた。

青年は空を見上げると、ゆっくりとこちらを向き、フランソワのいる林檎の木目指してよろよろと歩いてきた。その歩き方がどことなくおかしい。

彼は、フランソワの姿を認めるとにっこりと微笑んだ。無垢《むく》な、美しい笑顔だった。

フランソワはその笑顔に打たれた。

「あなたが証人ですよ。私も、祖父も、嘘《うそ》をついていないことが分かったでしょう」

青年は微笑みながら、ゆるゆると呟いた。

フランソワは何度も頷《うなず》いた。

「うむ。本当だった。本当だった」

掛ける言葉もなく、繰り返す。

「なんだか、今日一日で何年分も生きたような気がします」

青年は胸を押さえ、崩れるように木陰に腰を下ろした。どことなく焦げ臭い。

「宿願を果たすというのは、こんなにも気抜けすることなんですね」

青年は欠伸《あくび》をしながら木に寄り掛かった。

「――あなたにお願いがあるんですが、いいですか？」

無邪気な黒い目に見つめられて、フランソワは力強く頷いた。

「いいとも。なんだね？」

「あの農家に行って、水を一杯貰《もら》ってきていただけませんか？」

「水を？」

「ええ。私の女神に見つめられて、喉《のど》がカラカラになってしまいました。あなたよりもずっと若いのに、情けないことですが。今朝から緊張して飲まず食わずだったものだから、今ごろになって全身の力が抜けちゃって」

「お安い御用だ。水だけでいいのかね？　何か食べるものを？」

フランソワはすかさず腰を浮かせた。

青年は微笑みながら首を振る。

「いいえ。水だけでいいんです」

「分かった」

フランソワは巨体を揺らして立ち上がった。長時間緊張していて、身体《からだ》のあちこちが痺《しび》れているのに気が付く。

男の後ろ姿が遠ざかるのを見ながら、青年はじっと胸を押さえ続けていた。

落雷の衝撃は、確実に彼の内臓を貫いていた——このただならぬ痛みは、彼にほとんど時間が残っていないことを承知させるにはじゅうぶんだった。

そう、あの瞬間に分かった。天を裂く光が自分たちの上目掛けて落ちてくるのを悟った瞬間——この瞬間のために、自分は生きてきた。今日この場所で、彼女をあの光から守るために自分はここへやってきたのだと。

痛みに気が遠くなりながらも、彼は自分が幸福であることに気が付いた。

幸せだ。こんなに幸せだったことはない。

パリに戻っても、軍紀違反で処罰されるのは分かっていた。それでなくても、軍には責任転嫁《てんか》先を求める血に飢えた輩《やから》しか残っていない。そんなところにのこのこ戻っていった自分が、どんな扱いを受けるかは目に見えていた。それに比べたら、今この祝福された美しい場所で横たわっているのは、なんと素晴らしいことだろう。

虹が、ほとんど空から姿を消そうとしていた。

光が目の中に踊っている。

ほら、見ろ。僕のエリザベトを笑った級友たち。僕のエリザベトを信じなかった者たち。僕のエリザベトは誰よりも美しい。彼女は誰よりも素晴らしい。いつまでも彼女は、この世の終りまで僕のエリザベトなのだから――

青年は微笑んでいた。彼は幸福だった。

白い光の中に、笑みが溶けていく。


水の入った小さな壺《つぼ》を持って、一人の男がゆっくりと畔道《あぜみち》を歩いていた。

前方に、林檎の木陰で眠っている若い男が見えてくる。

安心したのだろう。何年もこの日を待っていたのだから無理もない。

男は畔道の途中で立ち止まると、黒い雲が徐々に切れていく早春の空を見上げた。

青く明るい光が、空をどんどん埋めていく。

男は、その透きとおった新鮮な色に見とれた。

この、晩年にさしかかっていた画家、ジャン＝フランソワ・ミレーが、彼の作品の中でも異色の傑作である風景画「春」を完成させるのは、それから二年経《た》った一八七三年の五月のことである。

イヴァンチッツェの思い出

Memory of Ivančice

1903
Black chalk and Pastel
drawing on Paper 450×270mm
Alphonse Mucha (1860-1939)

プロムナード

一九七八年　ロンドン

数日降り続いていたみぞれ混じりの雨は昨夜から雪に変わり、今日も降り続いている。

今年初めての本格的な雪だった。

白い雪に塗り込められてゆく窓の外の灰色の空を見ながら、チャールズ・モリスは、人いきれで空気の悪いリージェンツ・パーク駅に近いカフェでぼんやりと一人座っていた。

毎年やってくるのに、いつも懐《なつ》かしい感じのする雪の匂《にお》い。濡《ぬ》れたコートの匂い、それが暖房に乾く匂い。見慣れた風景なのに、なぜか違う心地がする。

消えたエドワード。

頭の中に、不気味なほどにきちんと整えられたエドワードの家の中の様子が蘇《よみがえ》る。皺《しわ》一つないベッド。冷めたローズ・ティー。白いレースのハンカチーフ。

そして、一言残されていた文字。

LIONHEART

からんからんと入口のドアについた鐘が鳴った。

ハッとして顔を上げると、髪についた雪をきらきらさせた娘が入ってきた。モリスの顔を認めると、軽く目礼をして肩の雪を払う。

エドワード・ネイサンの娘、アリスである。モリスは立ち上がって彼女を向かいの席に迎えた。思えば、会うのは彼女の結婚式に呼ばれて以来だ。二人目を出産したと聞いている。どちらかと言えば童顔のあどけない娘だったが、すっかり落ち着いてしっとりした貫禄《かんろく》を見せている。

「すみません、父の件ではすっかりご迷惑をお掛けしてしまって」

アリスは戸惑い気味の表情で腰を降ろした。

「いや、私は何もしていないよ。いつも近くにいたのにお役に立てなくて申し訳ない」

「いったいどうしちゃったっていうんでしょう。あの父がどこにも連絡せずに姿を消すとは信じられませんわ。でも、何かの事件に巻き込まれたというのはもっと信じられないし」

アリスはカフェ・オ・レを注文すると眉《まゆ》をしかめて額に手をやった。

「私もだよ」

頷《うなず》きながらも、モリスはかすかな後ろめたさを感じていた。あの家を訪れた時の不吉な感じが脳裏をよぎる。そうなのだろうか。何か彼には誰にも言えない複雑な事情が裏にあったのではないだろうか。その一方で、アリスが彼をここに呼び出した理由を心のどこかで訝《いぶか》しく思っていたのも事実だった。電話では、大学に対する手続きは既に事務局と相談を済ませたと言っていたし、最近のエドワードの様子も失踪《しっそう》が分かった時点で詳しく説明していた。それを、昨夜になって急に今日会いたいと言ってきたのだ。

話はすぐにとぎれた。暫《しばら》く無言でカップを上げ下げしていたが、やがてアリスは低く呟《つぶや》いた。

「――実は手紙が来たんです、父から」

「え？」

モリスは驚いて顔を上げた。やはり彼は自分で姿を消したのか？

アリスはモリスの考えていることを察したらしい。

「いえ、消印は十日以上も前なんです。ほら、ひどい雨の日があったでしょ。雨でインクが滲《にじ》んでいて、番地があやふやだったんですね。同じ町内で同じ名字の別の家に配達されてたらしいの。その家の人は出張に行っていたせいで手紙を見つけるのが遅れたのね。昨日戻ってきて郵便物を取り込んだ時にどうやらうちに宛《あ》てた手紙らしいと気が付いたそうなんです。前にも間違えて配達されたことがあって、近くに同じ名字の家があることは知ってたんですって。それでわざわざうちまで持ってきて下さったの。でも、私にはわけが分からなくて」

「どんな内容だったのかい？」

思わずモリスは好奇心に駆られて身を乗り出した。

「それがね、若い娘の好きそうなものを見繕ってほしい、っていうんです」

アリスはハンドバッグから手紙を取り出した。

モリスは手紙をのぞきこんだ。

愛するアリスへ

ジョンとおちびさんたちは元気かい？　いろいろ忙しいところを済まないのだが、ひとつ贈り物をみつくろって貰《もら》えないだろうか。相手は二十四、五歳の仕事を持つ女性。品のよい、何か記念になるようなものを頼むよ。やっと会えた命の恩人なのでね。私の名前で直接ここに送って貰えるとありがたい。代金は追って送る。

父より

そっけない、普通の手紙だった。横に送付先が書いてある。

タイムズ社学芸部　エリザベス・ボウエン

「タイムズの記者？」

モリスはその宛先を見て声を上げた。アリスは頷く。

「二十四、五歳の娘で、やっと会えた命の恩人というのはどういうことなんだ」

「よく分からないでしょう？　だから私もその人に電話してみたんです。父がいなくなったという事情を話して。父とは古い知り合いなんですかって。相手は私よりもずっと年下なんですから、おかしな気分だったわ」

ふと、モリスは白いハンカチーフの縫い取りを思い出した。

from E. to E. with love

エリザベス・ボウエン。Eだ。

「それで、相手はなんと？」

モリスが尋ねると、アリスは小さく左右に首を振った。

「向こうも不思議そうにしていたわ。確かに父のことは知ってました。二週間前に大学を訪ねて、父が最近出した本について取材を申し込んだそうなんです。でも、彼女、父に会うのはそれが生まれて初めてで、それ以前に会ったことはないって言うの」

「奇妙な話だ。人違いなのかな。誰かと勘違いしているとか」

Eのイニシアル。

モリスはぼんやりと窓の外を見た。

雪はいちだんと激しさを増している。

イヴァンチッツェの思い出

一九〇五年　パナマ

燕《つばめ》が宙を舞う夢を見た。
灰色の空を音もなく旋回する、無数の燕の群れを。
遠い空にそびえる黒い影、かすかなざわめき、胸を締め付けられるようなこの切なさ。
私の夢を見て――私と一緒に一角獣の舟に乗って。
ぶうーんという耳障《ざわ》りな音。
やめろ――来るな。来ないでくれ。私の眠りを妨げないでくれ。許してくれ。
ぶうーんという音がますます大きくなっていく。
ジェフリーは全身がびくっとするのを感じると共に目を覚ましていた。

部屋の中はげんなりするほど蒸し暑く、壁紙の薔薇《ばら》の模様がみすぼらしく見える。ぐっしょりと汗をかいていることに気付き、彼はたるんだ首の皺の窪《くぼ》みに溜《た》まったべたべたする汗をそっと拭《ぬぐ》った。もう幾度目かの朝をここで迎えているのだが、目を覚ます度に、自分が絵に描いたようなコロニアル調の家にいることに困惑させられる。

ふと、目を覚ましたのに夢の中の音が続いていることに気付いた。天井を見上げると、黒い扇風機が律義《りちぎ》に回り続けている。

昨夜はコンラッドの小説を読みながら眠ってしまったことを思い出した。ベッドの側《そば》の読書灯だけは無意識のうちに消したらしい。コーヒーテーブルの上に、飲み残した茶色の瓶の中のビールがどろりと光っていた。窓から朝焼けの気怠《けだる》い光線がさしこんでいる。

ジェフリーは身体《からだ》にべったりと張り付いた寝間着の感触に顔をしかめながらベッドの上に起き上がった。呼べばアニーがすぐにコーヒーを持ってきてくれるのは分かっていたが、暫くぼんやりと両膝《りょうひざ》の間に手を垂らして座っている。手に浮かんだ静脈としみの上に朝日が縞《しま》模様を作る。まだ半分は夢心地だ。

コンラッドのせいだろうか？　あのおかしな夢は。しかし、あれはどこかヨーロッパの古い町だ。ひどく懐かしい。

シャワーを浴びて、ようやく人心地つく。やれやれ、覚悟はしていたもののなんという暑さか。身体は人一倍丈夫だと思っていたが、この暑さでは想像以上に消耗が激しい。三日経《た》つが、今ちょうど身体がここに慣れようと試行錯誤をしているところなのだろう。老いた身体が必死に働いて、この環境に合わせようと混乱しているのが分かる。こういう時は動き回らないに限る。じっと首を引っ込めて待つだけだ。今はひたすら、この猛々《たけだけ》しい熱帯の気候に自分の身体を委《ゆだ》ねよう。少なくともその間は何も考えずに済む。

ノックの音がした。

扉を開けると、人懐こいムラートの男の子がきちんとお辞儀をした。

「電報です、セニョール」

夜明けとともに、たちまち地上の生きとし生けるものは熱という檻《おり》に収監される。きらきらと物質の輪郭が輝き始めたと思うと、次の瞬間全《すべ》てがむき出しになったうんざりするような白昼の世界が現れるのだ。

初めてこの地に下り立った時の絶望を覚えている。誰もがここに来ると快活さを失い、物憂《ものう》げで気怠い表情になる。一歩外に踏み出した瞬間、むうっという高温多湿のまとわりつくような空気に圧倒される。それはいつも、満腹の獣に息を吐きかけられたようにぞっとさせられる。今は腹いっぱいだから見逃してやるが、いずれ空腹になったらざくりと鋭い牙《きば》で貫いてやるからなと宣告されているような気がするのだ。

運河地帯は常に侵略の機会を窺《うかが》っているジャングルの最前線にある。どこまでも続く緑の戦場は、凶暴な巨人たちがふて腐れてうつぶせに転がっているように見える。濃密な緑の闇《やみ》を切り裂くように、遠いところで鳥や獣の甲高い声が響く。

熱帯の空はいつもへらへらと声もなく全てのものに対して倦《う》んだ目で笑っている。たわんだ青色の陰に、いつでも気まぐれに大量の雨を降らすことのできる不穏な雲を隠し持っている。

一年中変わらぬ青と緑の風景は、目の眩《くら》むような絶望に我々を追い落とす。

「おはようございます。ご機嫌はいかが？」

涼しげなアルトの声が、朝の憂鬱《ゆううつ》を追い払う。

「おはよう、マチルダ」

「よくそんなものを朝からお飲みになれるわね。こんな窯《かま》の中みたいなところで」

私の手の中のカップアンドソーサーを見て、マチルダがあきれた声を上げた。

「朝から冷たいものをガブガブ飲んだのでは余計体力を消耗するのでね」

「あたしはごめんだわ。コーヒーがそのまま血管の中でどろどろのタールになりそうで。ねえ、今日はどうなさるご予定なの？」

「特に何も。運河の工事は見るつもりだが」

マチルダは肩をすくめた。この歳《とし》になると、若い娘をあきれさせることに一種の快感を覚えるようになる。この子ははっきりものを言う娘だ。三十歳前後と思われるが、豊かな黒髪とくっきりとした瞳《ひとみ》は生き生きとしてじゅうぶんに美しい。率直さを自分の性質として承知しているが、それを披露する相手やその度合いをきちんと読める聡明さが気に入っていた。彼女の方も私が彼女の鼻っ柱の強さを楽しめる相手と気付いたのか、私を見掛けるとちょくちょく絡《から》んでくるようになった。

「運河！　運河ね。確かに遠大かつ偉大なる大事業だわ。男の人って、どうしてあんなに『偉大なる』ものに夢中になるのかしら。男子一生の仕事ってわけね。あたしにはこの場所は神に呪《のろ》われたところにしか思えないけれど」

マチルダは形のいい眉をひそめ、白いきめの細かい肌に皺《しわ》を寄せた。ゆったりしたシャツの間にペンダントが揺れる。彼女は最初見た時から、他の上品なご婦人方とは違って賢明にもずっと麻のズボンを穿《は》いていた。

「あたしはあの汽車に乗っていてぞっとしたわよ。枕木《まくらぎ》一本ごとに一人の労働者が死んだっていうじゃないの。あたしたちがのほほんと運ばれている線路に切れ目なく人柱がえんえんと横たわってると思うと、気味が悪いやら申し訳ないやらで嫌な感じだったわ。でも、あのパナマ鉄道でさえ、この悪魔のごとき運河に比べれば子供みたいなものだわ。ここの血塗られた歴史ときたら——まさに人喰い運河。いったいそこまでの犠牲を払う必要があったのかしら？　ねえ、あなたは感じない？　ここにはスペイン人たちの時代から数え切れないほどの死者たちの恨みが累々《るいるい》と積み重なっているのよ」

いささか芝居がかった様子でマチルダは私の顔をのぞきこんだ。

私は苦笑した。

「確かに多すぎる犠牲だとは思うがね——でも、生きている者の方がよっぽど怖いね、少なくとも私にとっては」

マチルダの目からふっと何かが消えた。真顔になって前を向く。

「そうね。生きてる人間ほど怖いものはないわね。人を喰らうのは人だけだわ」

その声の調子に私はそっと彼女の横顔を盗み見たが、何の表情も浮かんでいない。

「あら、ジムとロナルドがご出勤だわ。技師という職業も楽じゃないわね」

つばの広い帽子を目深《まぶか》にかぶった若者二人が連れ立って出ていくのが見える。赤銅《しゃくどう》色《いろ》に日焼けした腕に浮かぶ筋が逞《たくま》しい。二人とも三十代前半だろう。まだ挨拶《あいさつ》程度しか言葉を交わしていない。ここでは、労務者たちは一日十時間働き、技師たちは十二時間働く。

男たちは常に仕事に出ていく。それはワシントンでもサウザンプトンでもパナマでも同じだ。外の風景が違うだけ。私は既にそれらの生産活動の外側にあることを今さらながらに強く意識し、老いを感じた。

「ふう、今日も暑いわね。ジェフリー、あとで何か本を貸してくださる？　文明社会にいるような気分で退屈せずに午後を過ごせるようなのを。さて、母にレモネードを持っていかなくちゃあ」

「お母上の具合はどうだい？」

「こんな場所じゃいいはずがないでしょ。信じてもらえないかもしれないけど、母はあたしと違ってお嬢さま育ちなのよ。ここにいる間に他の皆さんに紹介できないかもしれないわね」

マチルダはいつもの調子で笑いながら中に入っていった。

彼女は母親と一緒にこの館《やかた》に滞在している。なぜ女二人がこんなところにやってきたのだろう。ぼんやりと疑問が心に浮かぶが、この館ではなんとなく、互いに人の過去に触れるのが憚《はばか》られる雰囲気があった。

きくまい。私とて、同類なのだ。

灰色の空を舞う燕の姿が心の隅を撫《な》でる。

ふと顔を上げると、瑣末《さまつ》な心の動きを嘲笑《あざわら》うかのような青空が見下ろしている。

私は思い出したようにカップに口を付けたが、ざらりとした澱《おり》が唇に触れただけだった。

水はいつも重く濁っていて、傍目《はため》には深いのやら浅いのやら見当がつかない。

浚渫船《しゅんせつせん》の喫水はいつも限界ぎりぎりまで沈み、黙々と泥を運ぶ。

スチームシャベルが動き回る音や、現場監督を務める技師がはりあげる声が蛇行した水面に吸い込まれていく。

「何を見ているんですか？」

面白がるような男の声が聞こえた。

振り返ると、肩に白のジャケットをしょっている口髭《くちひげ》の男が好奇心をのぞかせた笑みを浮かべて立っていた。彼も館の客人の一人だった。私と同じで連れはない。確かクロードという名前だった。白のスーツに目の覚めるようなブルーのシャツ。不思議と汗を掻《か》いている様子はない。頭には真新しいパナマ帽。一目で洒落者《しゃれもの》だと分かるが、どこかに崩れたような気配があった。身に付けているものは一流品だし着こなしても いる。顔だちも、卑《いや》しからぬ先祖から受け継いだと見えノーブルだし、少し話した印象では教養もあり頭も切れる男のようだ。しかし、この地に流れついた他の者たちと同様、彼の中にも鬱屈した虚無と頽廃《たいはい》が巣くっているのを感じた。

「人間の営みを」

私は表情を動かさずに答える。

「はっ！」

クロードは真っ白な歯を見せて笑いながら、ぶらぶらと私の隣に近寄ってきた。

「どうです、空恐ろしい眺めじゃありませんか。蟻《あり》のように群がり貪欲《どんよく》に大地にはびこり、神から賜わりし地形を変える。僕はこの眺めを見ていると、かつて神がバベルの塔を潰《つぶ》してやらなくちゃならんと決心した気持ちが分かるような気がするんですよ」

随分不遜《ふそん》なことを言う男だ、と私はちらりと男の横顔を見た。

男は歯を見せたまま平気な表情で続ける。

「どうです、今度こそ運河は完成しますかね？」

「まるで完成を信じていないような口ぶりだね」

「じゃあ、あなたは信じていらっしゃるんですか」

「とにかく完成はするだろう。もはや完成しないでは許されない。時の勢いというものもある。血みどろでも歩き続けなきゃならん。これからも多大な犠牲と対価を払い、そのあげくに、満身創痍《まんしんそうい》でばったりとゴールに倒れこむ」

「これはまたきつい」

クロードは苦笑した。

「私も少なからぬ投資をしているからね」

「ジェフリー・ハワード。ロンドンでも五本の指に入る大商人だ」

クロードはおもむろに呟《つぶや》くと、ポケットからシガーケースを取り出した。

私はギクリとして思わず彼を振り返った。

「二人の息子がしっかり後を継いでいる。経営者としても人格的にも評判がいい。会社は安泰だし、もはや悠々自適のはず。どうしてこんな地の果てまで？」

パナマ帽の影が男の頬を切り裂くように黒と白に分けている。

この男は何を知っているのだ？

背中が冷たくなる。心臓がどくんと鳴り出す。

帽子の下からこちらの反応を窺うような悪戯っぽい目がのぞいた。私は平静と無表情を装《よそお》う。不意を衝《つ》かれた時は、下手に口を開いたり身体を動かすべきではない。私はそれと悟られぬよう、動きだしたくなるのをじっと我慢した。心の中で深呼吸してから、さりげなく尋ねる。

「どこかでお会いしたことが？」

男はゆるゆると首を振った。にやにや笑いをやめて、真面目《まじめ》な口調になる。

「いえ。失礼しました。貴方《あなた》はご自分が『パナマ・スター』に載るほどの有名人だとはご存じないらしい」

「『パナマ・スター』に私が？」

地元紙に載るような覚えはなかった。

「ええ。いつも資金繰りに頭を悩ませているアメリカ政府や、アメリカにおだてあげられて舞い上がったできたてほやほやのパナマにとっては、あなたみたいな商売の目《め》利《き》きがここに来ているということを宣伝したいんでしょう。ワシントンのお友達があなたのパナマ行きを漏らしたようですよ」

私は、今度ははっきりと非難の色を出した。

「これは私の個人的な旅です。おっしゃる通り、もう隠居の身だ。世紀の大事業をこの目で見てみたかっただけのこと」

「ええ、ええ。そうでしょうとも。お気になさらずに。詮索《せんさく》する気はありませんでした、お許しを。他のお客に無礼を働いたことが知れたら、パスコー氏も二度と私を館に上げてくれなくなります。どうか、このことは忘れてください。私は極端に人の顔を覚えるのが得意なので、たまたま気が付いただけです。館の皆さんはあなたと結びつけもしないでしょう」

男はなだめるように言うと、葉巻を取り出してくわえた。

つんときつい香りが漂う。

頭の中がめまぐるしく回転するのを感じた。いつの新聞だろう。館の客たちは読んでいるだろうか。誰か他にも私のことに気付いた人間が？　いろいろな顔が脳裏に浮かぶ。

焦《あせ》りを感じたあとで、何を慌《あわ》てているんだと考え直した。それもまた一興。しかし、こちらが見ている以上に、他の客たちもこちらを観察しているということだ。このことは肝に銘じておいた方がよいだろう。

私が険しい表情をしているのを見て、クロードはもじもじした。もっと毒っぽいタイプかと思っていたが、意外に中身は気がいいようだ。

「フォン・ライナッハという名前を？」

クロードは気を取り直すように話題を変えると葉巻に火を点《つ》けた。つんと鼻にくる香りが一瞬更に強く薫る。

「ああ——死んだ男だね。ド・レセップスの息子から九百万フランをかすめとったという山師だろう。男爵《だんしゃく》だったというのは嘘《うそ》かい？」

この運河は底なし沼のように莫大《ばくだい》な金と数え切れない人命を飲みこんできた。資金をめぐる汚職やスキャンダルは、国境を越えて各国の政府を揺るがし、その真相は複雑にからみあい奇怪な様相を見せている。

「さあね——とにかくいろいろと後ろ暗い男だったのは確かで、未《いま》だに九百万フランの行方は完全に解明されていないようですよ」

クロードは蓮《はす》っぱな様子で葉巻をくわえ、ズボンのポケットにまっすぐ手を差しこんだ。

「一時期彼は生きているという噂《うわさ》が流れたね。棺《ひつぎ》には石が詰められていたとか」

私はおつきあいの冗談のつもりで口にしたのだが、クロードは笑わなかった。

「——もし彼が生きているとしたらどこに潜伏するでしょうね？」

「生きていると？」

「そうは言ってませんよ。あなたならどうします？」

真顔の男に戸惑いながら、私は首をひねった。

「どうだろう。いったん名前を捨てて他人の人生を買うね。それだけの金があれば可能だろう」

「なるほど。それも素敵ですね――では、例えば、このパナマなんかどうです？」

「ここ？　まさか。あれだけ痛い目にあっておいて」

「灯台下暗し。なかなか意表を突いているとは思いませんか？」

「パナマにいると？」

クロードは目に何の表情も表さなかった。この男はなぜこんな話を持ち出したのだろう。英語は達者だがフランス人らしい。単に気まずい場面から話をそらすためだけなのだろうか。

ふと、彼の鮮やかなブルーのシャツの胸に点々と黒い汗のしみが浮かんでいるのに気付いた。なんとなくホッとする。やはり彼も暑いのだ。

「さて、私も商談に出かけるとしますか」

とても商談に出かけるとは思えない気のない口調で彼は踵《きびす》を返した。その背中に声を掛ける。

「なぜ私にそんな話を？」

帽子の陰から、当惑したようでもあり、怒っているようでもある声が聞こえた。

「実は私にもよく分からないんですよ」

ゆったり一律に進む時計の針が一日の八分の五を過ぎると、俄《にわ》かに空はかき曇り、窓べの花に水をやる時間のようにざあっと洗面器をひっくり返したような雨がやってくる。

館の中は暗くなり、激しい雨音に閉じ込められる。原色の世界が一瞬にして白黒のデッサンに変わる。

一階の広いサロンに、客たちが思い思いにうずくまっていた。普段は南国の色彩が和らげているが、こうして色彩が殺《そ》ぎ落とされてみると、我々が世界から疎外《そがい》されている孤独な異邦人だということがよく分かる。

マチルダはしかめつらで私が貸したランボーを読んでいるし、退役軍人とその妻であるポール・スミスとエレンは化石のようにカードを握ったままソファを埋めている。サロンの奥では『商談』から帰ってきたクロードがパナマ帽を顔に乗せてまどろんでいる。その横では、頭の薄い、やけに姿勢のよい実直そうな男が黙々と紙に何かを書き付けている。私はまだこの男とろくに言葉を交わしたことがない。スミス夫妻から聞いた話によると、どうやら地質学者らしい。人付き合いは苦手なのか、時間が惜しいのか、他の客に興味を示そうとしない。

ぼんやり高い天井の染《し》みを見ていると、この館がかなりの年数を経ていることを実感する。まだフランス人たちが希望を持ってこの地につるはしを入れた頃、商売を見込んで贅沢《ぜいたく》に作られた高級娼館《しょうかん》だったらしい。しかし、彼女たちは商売をすることができなかった。そのほとんどが到着して数週間のうちに死んでしまったからである。命取りになったのは、故国をしのぶよすがとして前庭に拵《こしら》えた小さな池だった。花で飾られたその可愛《かわい》らしい池は、黄熱病を媒介する小さな蚊たちのゆりかごにはぴったりだったのだ。

その後、この館がパスコーなる男の持ち物になるまではいろいろの過程があったのだろうが、それには興味がない。パスコーなる男の実体は誰も知らない。存在しているのかどうかも分からない。だが、こうして私が今ここにいられるのはパスコーなる男のお陰であるのは確かだった。

後ろにある嵌《は》め殺しの窓の向こうで、ポーチに雨垂れの落ちるぽたぽたという音が響いている。激しい雨の音の中で、その音だけが大きく頭の中に鳴り響く。

私はいつしかまどろんでいた。

ふと、背後に人の気配を感じた。

誰か、いる。誰かが窓の向こうに立っている。

私はちらっと窓の外に目をやった。

暗い人影。女だ。

私は身体《からだ》を動かすことができなかった。視界の隅に女が立っている。

激しい雨。白黒の世界。ポーチに長いドレスの女が立っている。

ぽたぽたぽたぽたぽた。雨垂れの音だけが頭の中に響く。着飾ったドレスの女がポーチに。

ますます身体が固まっていく。指一本動かすことができない。

女はすっと片手を上げた。掌《てのひら》の上に何かが浮かんでいる。ひどくゆっくりとそれは空中を舞っている。銀色の球体——金属のように鈍く光る球体がふわふわと女の手の上で回っている。なんだろうあれは——どこかで見たような気がする。三つの球体がくるくると女の手の上を回る。**私の夢を見て。**

「ジェフリー。ありがとう、お返しするわ」

私はハッとした。

マチルダが本を差し出している。

夢？

いつのまにか雨が上がっていた。後ろを振り返ると、窓の外のポーチには誰もいない。ぽたぽたと間隔をおいて雨垂れが落ちているが、それはきらきらと射《さ》し込み始めた光に眩《まぶ》しく輝いている。

「確かに素晴らしいけれど天才ってやりきれないわ。こちらにつけいるスキも、共感の余地も与えないんですもの。おのれの才能のなさを思い知らされるだけだわ」

マチルダはぶつぶつと文句を言ったが、私が上の空なのに気付いたようだった。

「あら、ひょっとして寝ていらっしゃったの？　ごめんなさい、あたし、起こしてしまったかしら」

「いや――その。今そこに誰か立っていなかったかい？」

「え？　そこって？」

「今ポーチに女が」

「いやだ、寝ぼけてらっしゃるの？」

そう言いながらも、マチルダは怯《おび》えたような目になった。

「ジャングルにはさまよえる過去の亡霊がうじゃうじゃ。ジェフリーは今、さまよえる魂との交感を行っていたのですよ」

起きてきたクロードが、あの人を食ったような目でマチルダと私の顔を交互に見た。

「くだらない冗談はやめてちょうだい」

マチルダは鼻白んだ。

私はぼんやりと窓の外を見つめていた。

遅い午後。みるみるうちに原色の色彩が再び世界を覆《おお》ってゆく。


「お母様の具合はどう?」

「ご心配をお掛けして——軽い脱水症状みたいなんですの。いきなり暑いところに来たものだから毒気に当てられたみたい。ようやく、顔付きがしっかりしてきて。一時期はどうなるかと思いましたわ」

「ねえ——こんな華奢《きゃしゃ》なお嬢さんとお母様ですものね。たいへんな旅でしたでしょ。あたくしもね、立つとふらふらするんですのよ。この暑さですものね。この歳《とし》になってこんなところに来るとは夢にも思いませんでしたわ。それがまあ、主人はあの通り頑固者ですからこうして。あたくし、腰が悪いんです。長い鉄道の旅は腰に良くないそうなんですけどね。仕方がありませんわ、主人はあたくしがいないと何もできなくて――それで、あなたがたはどちらから？」

「ロンドンからですわ。フロリダに暫《しばら》く滞在してから、ここに。世界の半分くらい回ったような気がします」

カチャカチャと密《ひそ》やかにナイフとフォークの音が響く。不規則に揺れる無数のロウソクの炎に食器が鈍く光る。薄暗い壁にぼんやりと重なりあう影絵。

食事という儀式。話しているようで何も話していない会話。館《やかた》の滞在者はゆるやかに入れ替わっていくらしいが、このメンバーが揃《そろ》って既に何日も経《た》っている。メンバーは九人。スミス夫妻、マチルダとその母、技師のジムとロナルド、地質学者のマイケル、商人だというクロード、そして私。もっとも、マチルダの母は着いてすぐに寝こんでしまったのでまだ会ったことはないが。顔見知りになった今、それぞれがさりげなく互いの素性を探りあっている感触があった。もちろん私もそうだ。この中に、ずっと探し続けていた奴《やつ》がいるのだから。

「全く、誰が予想していたかね。あんな、ちっぽけな、奇妙な形をした島国が勝つとは。見れば見るほどおかしな形をしとるよ、あの国は」

「東の外れですからね。私も言われてみて初めてしげしげと地図を眺めましたよ。こんな国が世の中にはあったのか、と。奇妙な形に髪を結った女たちを描いた不思議な絵や美術品があるのは以前から聞いてましたけどね――」

「――時代は加速しています。これからはもっと加速するでしょう。運河ができれば戦争のやりかたも変わる。今、我々が運河を作っている間にも状況は動いている。ひょっとして、運河が完成した時に真っ先に使うのは軍隊かもしれませんね」

熱帯の夜はねっとりと闇《やみ》が濃い。窓ガラスの向こうで誰かがじっと耳を澄ましているような気がする。誰かが闇の奥でまばたきもせずにこちらを見つめているような気が。

私は野菜の入った辛いスープを啜《すす》った。料理は美味《うま》く、酒も嗜好品《しこうひん》もふんだんにあった。運河地帯でなかなかこんな待遇を受けられるところはない。大枚を払っても、実体のない男と取引するだけのことはある。もっとも、パスコーは裏にも表にも通じているという噂で、必ずしもここにいる客に皆後ろ暗いところがあるわけではない。実際のところはただの物好きな観光客どうしだという可能性もある。

ここの料理はアメリカとスペインのものが混じりあっている。運河地帯は、アメリカでもない、パナマ本来のものでもない不思議な混沌《こんとん》から生まれた合成物でできている。ここに来てから、今まで感じなかったものを感じるようになったようだ。このあまりにも濃い闇のせいかもしれない。

昼間見た女。夢にしてはあまりにも生々しかった。

外は真っ暗で何も見えないのに、気が付くとポーチのある方に目をやっている。あれはなんだったのだろう。やはりここに来て緊張しているのだろうか。

「ジェフリー、昼間見た夢のことを考えていますね」

隣のクロードが、向かいの席のマチルダに秋波を送りながら尋ねた。マチルダは気付かぬふりをしている。

「いや――その、リアルな夢だったものでね。ここのところ続けて同じような夢を見る。何が原因だろうと考えていた」

「あら、どんな夢？　さしつかえなければ聞かせて」

マチルダが身を乗り出してきた。エレンと話を合わせるのに飽きていたのだろう。私は話すべきかどうか迷った。みんなが期待して耳を澄ませているのが分かる。特に隠すようなものでもないだろう。私は苦笑した。

「たいした夢ではないんですよ。灰色の空をたくさんの燕《つばめ》が飛んでいるんです。音もなく、とにかくたくさん。色はない。遠くの方にぼんやりと教会の尖塔《せんとう》が立っているのが見える。そして、髪を結い上げた女が立っている。ただそれだけの夢です。昼間の夢では、その女がこの館のすぐそこのポーチに立っていた。それでびっくりして」

る。

「まあ。なんだか気味が悪いわね」

エレンが大袈裟《おおげさ》に顔をしかめてみせた。私も大袈裟に不本意な表情を浮かべてみせ
「失礼。怖がらせる気は」

「催眠療法を受けてみられてはどうです」

唐突に、それまで無言だった地質学者が口を出した。みんながあっけに取られて男を見る。四十代前半の表情に乏しい男は、熱心に身を乗り出した。

「フロイト博士の研究をご存じでは？　博士は偉大ですよ。繰り返し現れる女は、あなたが忘れている過去のかなわぬ希望を、あなたのその夢はあなたの知らない心の中の抑圧を示しているのです。夢は心の鏡なんですよ」

目は大真面目《おおまじめ》だ。みんなが面食らったような顔になる。なるほど、こういう種類の男だったのか。これは関わらずにいてくれる方が正解かもしれない。私は努めてにこやかに続けた。

「そうかもしれませんね。この圧倒的な熱帯の空気の中で、眠っていた若い頃の魂が蘇《よみがえ》ったというわけだ。確かにこんな現実離れした雰囲気ですからね」

クロードがにやにやと笑っている。

その時、何ごとか考えこんでいたマチルダが口を開いた。

「ジェフリー。不思議ね。その夢、私も知っているような気がするわ。最近どこかで見たような。なぜそんな気がするのかしら」

「マイケル、こういう場合はフロイト博士はどういうふうに説明してくれるんだい？　赤の他人の二人が同じ夢を見る時は？」

クロードが面白がるような顔で地質学者に話しかける。半分からかわれているのにも気付かぬ様子で、マイケルはくそ真面目に答える。

「きっと、お二人は過去にどこかで擦《す》れ違っているんですよ。本人たちも気付いていないうちにね。お二人は顔を合わせた時に、心のどこかでそのことを思い出した。それが共通の夢という形を取ってお二人に告げている」

「なるほど」

クロードは何やら新しいおもちゃを見つけたような目付きで隣の男を見つめている。

私は混乱した頭で食卓の上に飾られた赤い花に目をやった。

ふと、テーブルの離れたところにいる若い男の表情が目に入った。明るい茶色の髪をした聡明そうな青年だ。眼鏡の奥の目は思慮深さを示している。毎日隣の黒髪の男と出かけていく若い技師である。こっちがロナルドだったかな？　いや、これがジムか？

　クロードとマイケルのちぐはぐなやりとりを聞きながら、二人の若い技師を観察する。屈託のない二人の若者。どちらかはアメリカに婚約者を残してきているというが、もはや若造とは呼べないけれどまだ身軽さを感じさせる。むろん、こんな辺境の地に来られるのはそういう身軽で冒険心のある若者だけだろう。うるさがる様子もなく、適当に相槌《あいづち》を打ちながらポールのくどい昔話を聞いているのはなかなか感心な態度だ。

　二人のやりとりから、やはり茶色の髪で眼鏡を掛けている方がロナルド、黒髪でまだ少年のような伸びやかさを残している方がジムだと分かった。毎日きちんと出かけていくところを見ると、まともな技師らしい。一度仕事をしているところを見てみたいものだが。この若さでこの館の滞在費を払えるとは驚きだ——やはりどちらかが？

　ロナルドは私たちの話を聞いていたようだ。興味を持っているように見える。

「あのう——お話を聞かせてもらったんですが、そういうことってあるんですかね」

　ロナルドはもじもじしながら尋ねた。隣のジムもこちらに顔を向けたので、初めてテーブル全体が一つになったような感じがした。

「そういうことって？」

　クロードがロナルドを振り返る。

「その——ずっと昔に会った人の記憶が、世代を越えて蘇るなんてことは」

「世代を越えて？　それは全く違う話ですよ。説明がつかない」

マイケルがそっけなく言い放つ。ロナルドは言葉を探しているようだった。

「でも、ないとは言えないと思いませんか？　ウサギが自分たちの天敵を見た瞬間に察知したり、鳥が同じ種類の木に巣を作ったりするのを、ただの本能で片付けていいものなのでしょうか？　それぞれの動物に何世代もの記憶がある程度継承され蓄積されたからこそ、彼等の習性ができていったわけでしょう。先祖がえりという言葉もあるし、世代を越えて蘇る記憶というのもあるんじゃないかな」

訥々《とつとつ》と話す青年の口調に、なんとなくテーブルを囲む客たちが引き込まれた。

「君は生まれ変わりの話をしているのかな？」

クロードが慎重な表情で尋ねた。ロナルドは不意を突かれたような顔になる。

「生まれ変わり？　いったい今何年だと思っとるんだ。パナマ地峡を人間の手で切り開こうという時代だぞ。いい若い者がたわごとを言っちゃいかん。神秘主義は精神の後退だ」

ポールがカカッ、と口の中でこもった笑い声を立てた。

「生まれ変わりという言葉がしっくり来るわけじゃないし、僕は神秘主義者ではないですが。じゃあ、言い方を変えましょう。こんな経験をしたことはありませんか？初めて会う人なのに、なぜか懐《なつ》かしい。ずっと昔からその人を知っていたような気がする。顔を合わせた瞬間に、不思議と胸がいっぱいになる。そんな体験をしたことは？」

ロナルドは気を悪くした様子もなく、丁寧に話を続けた。朴訥そうだが、芯《しん》は強そうだ。

「ロナルド、それを世間では一目惚《ぼ》れというんだよ。そういう意味だろう？」

クロードが小さく笑った。ロナルドはああ、と頷《うなず》く。

「そういう場合もあるでしょうね。でもそれだけじゃない。男女の運命的な出会いというものを越えて、もっと普遍的な——うまく説明できないな」

もどかしそうに言うロナルドに向かって、マイケルがそっけなく質問する。

「何かそういう体験があるとでも？」

「ええ、まあ。僕の学生時代の友人におかしなことを言う男がいましてね——」

「あっ」

突然、マチルダが大きな声を上げたので、みんなの注意がそちらにそれた。顔の向きが変わるにつれて、一瞬空気が揺れ、ロウソクの火が揺れる。

「どうしました？　君の前世の記憶が蘇ったのかな？」

「思い出したわ。去年のニューヨークよ」

マチルダは興奮したように私の顔を見た。彼女の興奮に当てられて面食らう。

「ニューヨーク？」

「アルフォンス・ミュシャをご存じ？　昨年アメリカに渡ってきて、今ニューヨークで舞台美術を作っている画家よ。アール・ヌーヴォーの第一人者だわ」

「そいつはどこの人間なのかね」

「チェコ・スロバキアですよ」

あまり関心がなさそうに尋ねるポールに、クロードが手短に答える。

「チェコ？　道理で奇妙な名前だな」

「あちら風に読めばムハですね」

マチルダは満足げに頷くと、自信に満ちた目で私を見た。

「あなた、あの絵を御覧になったんでしょう。私も見て印象に残ってたんです——そうだわ、もしかすると私のスケッチブックにまだあるかもしれない。皆様、ちょっと失礼」

マチルダは軽やかに席を立つと食堂を出ていき、あっという間に大きなスケッチブックを片手に戻ってきた。

「ほう。お嬢さんは絵を嗜《たしな》まれるようだ」

「大昔は画家を目指していたんですけどね。とっくにあきらめました。自分の楽しみで描くくらい。一時期ミュシャの華麗な線が羨《うらや》ましくって、ずいぶん模写しました。去年の展覧会でもこっそり——あ、これだわ」

マチルダはスケッチブックのあるページを広げてみせた。皆が口々におお、と呟《つぶや》く。

私もその中の一人だった。そこには私の夢の中の風景が広がっていた。

縦に細長い画面。窓に見立てた空間に、手を組み目を閉じている女の上半身がある。右下には石を彫ったような感じの文字。背景にうっすらと浮かぶ塔を戴《いただ》く建物、こちらに向かって飛んでくる無数の燕。

それを目にした瞬間、夢が現実になったような衝撃を覚えた。こんなことがあるはずがない。故郷から遠く離れた熱帯の夜に、ロウソクの明かりの中で自分が見た夢を絵に描いてみせられることなど。

自分の中の冷静な部分で絵を観察すると、確かにマチルダの腕は相当なもののようだった。デッサンも、バランス感覚も申し分ない。人目を盗んで短い時間で書き上げた模写にしては、かなり出来はいいのではないだろうか。

「確かにこれだ――この文字は？」

私はかすれた声で画面の右下の文字を指さした。マチルダは落ち着いた声で答えた。

「この絵のタイトルは『イヴァンチッツェの思い出』。ここに描かれている地名ね。チェコの南の方にあるミュシャの故郷の町らしいわ。これはその町にある教会」

「このマークはなんだろう」

私は左下の円の中を指さす。マチルダは首をひねった。

「さあ――町の記章じゃないかしら」

三つ同じ形が向き合っている。かすかな台形をしたこの形はなんだろう。糸巻き？樽《たる》？　帽子？　心のどこかで警告が発せられた。何か空恐ろしいことが起きようとしているような嫌な予感。女の掌《てのひら》で舞う三つの球体。あれはこのマークと何か関係が？

突然、ロウソクの炎の中にニューヨークの雑踏が蘇った。

そうだ――私は町を歩いていた――そして、心を落ち着かせるために、すぐ近くで開かれていた展覧会に入っていった――とにかく誰にも会わずに歩けるならばどこでもよかったのだ――あのショックを振り切るために――あのショックから逃れるために。

「思い出したよ」

「あなたの夢に出てきたのはこの女性でした？」

「ああ」

私は頷きながら深く溜《た》め息をついた。

「なぜ忘れていたんだろう。私は、妻を亡《な》くした日にニューヨークでこの絵を見たんだ」


強い酒を舐《な》めているうちに、闇《やみ》への恐怖は少しずつ慣らされていった。

私はサロンに残って、マチルダのスケッチブックを眺めていた。

イヴァンチッツェの思い出。妻を亡くしたあの日。

なぜこの絵だけこんなに記憶に残っていたのだろう。今にして思えば、会場にはさまざまな絵があった。色彩豊かで、大きくて華やかな絵がたくさん。よりによってこの地味な絵が記憶に残っていたのはあの時の心情のせいだろうか。

空を舞う燕《つばめ》。教会の尖塔《せんとう》。

夢が蘇ってくる。ポーチに立っていた女。掌の球体。

私の視線は、絵の左下にある奇妙なマークに引き寄せられる。

ひょっとして、私の記憶にこの絵が焼き付けられたのは、燕や教会や少女ではなくこの印のせいではないだろうか。

私は今や恐れていた。ここまで周到に準備を進め、心を冷たく研ぎ澄まし、あとはどうなっても構わないつもりでここにやってきたのに。この恐れはなんだろう。今更、終着駅の近くまできて、この頼りなさはなんだろう。これまで何十年も自分を信じてきた。いつも勝利と成功を信じ、どんなに困難な状況でも平常心を失うことなく仕事を広げてきた。自分の決断を疑ったことなどなかった。その私が今、たった一枚のデッサンを目にしただけで自分の所在を信じられなくなっているのだ。

私は無意識のうちに再び夜の暗い庭を振り返っていた。

ポーチに立っていた女。

今にして思えば、あの女は妻の顔をしていた。懐かしいエレノア、無残な死を遂げたエレノア。なんということだ、私はすっかり妻の顔を忘れてしまっていたのだ。あれだけ長年連れ添い、私に全《すべ》てを捧《ささ》げてくれていた妻の顔を。

不意に息苦しさを感じた。この一年、妻のために動いていたつもりだった。しかし、実際は自分のために——妻を死なせた自分から逃れるために走り回っていたにすぎなかったのだ。

私の夢を見て。

あれはまさに妻の言葉——妻を心のどこかに追いやっていたことに対するあの世からの妻のメッセージかもしれない。

徒労感を覚えた。両腕から力が抜けていく。やっとのことでスケッチブックを閉じた。

奇妙な感覚だった。身体《からだ》も感情も体温を失っていくのに、頭の中にだけは鮮明なイメージが浮かぶ。大きな棺《ひつぎ》の蓋《ふた》を誰かがゆっくりとこじあけていくようだ。

やめろ。やめてくれ。許してくれ。

頭の中に、ミュシャの絵の片隅にあった奇妙なマークが焼き付いている。丸いマーク。三つの球体。球体はぐるぐる頭の中で回っている。

やがて回っている球体は、徐々に別の形を取り始めた。

ぽつんと遠くに白い楯《たて》がある。球体は回りながらその楯に近付いていく。

球体はぽんとその楯に飛び込むと楯の中に三つの円が収まった。

私はぼんやりとその楯の前に立っている。

すると、どこからか蹄《ひづめ》の音が近付いてきた。銀色に輝く一角獣である。一角獣は前足を上げ、楯の向かって右側に立った。立った瞬間、一角獣は平べったい絵になる。

次に、誰かが近付いてくる気配がした。

若い女性らしい。顔には布がかかっていて、表情は見えない。ゆっくりと歩いてくるその姿を見て、私はぎょっとした。彼女の胸には大きな剣が深々と刺さっているのだ。

ああ、なんということだ。私は駆け寄り、彼女の胸から剣を抜こうとする。が、彼女はゆるゆると手を振ってそれを拒むと、楯の左側に立った。彼女もみるみるうちに平面的な太い線の絵になる。誰かが聞き取れない言葉で何かを叫んでいる。なんだと？　何を言っているんだ？

気が付くと、私は汗をびっしょりかいてソファに座っていた。

また夢を見たらしい。どうしてしまったんだろう。私はどうなってしまうんだろう。夢と現実の区別がつかなくなってきているのだろうか。事業を引退した友人たちが一気に老《ふ》けこむ姿を幾度も見てきたが、私には大きな目的があるからそんな時は訪れないと勝手に思い込んでいたのだ。私は緑に塗り込められたこの天井の高い館《やかた》で少しずつ壊れていくのかもしれない。いや、もうこの瞬間、既に壊れてしまっているのかもしれない。

おやすみの挨拶《あいさつ》が交わされ、サロンの奥でカードをやっていたスミス夫妻が部屋に引き上げるのが見えた。相手をしていたマチルダとクロードがグラスを手にこちらに移ってくる。

「見掛けによらず、あの奥さんは勝負強いね」

「ああいうタイプは手強《てごわ》いのよ。大きく勝つこともない代わりに大きく負けることもない。回数を重ねていくと、少しずつ手堅く点数を稼いでいた人が最後には勝つの」

「お嬢さんとは対照的なタイプだ」

「分かってるわ、あたしが博打《ばくち》打ちの性格だってことは。人生は博打よ」

すっかり打ち解けたらしくやりとりもリズミカルだ。

「ジェフリー、落ち着いた？」

マチルダは私に向かって穏やかな笑みを浮かべた。なんとなくホッとする。

「なんとかね。スケッチブックを借りっぱなしで悪かった」

「いいのよ、めったに鑑賞してくれる人もいないし」

二人がソファに腰掛けると、空気が明るく変わった。気弱になっていたのが少しずつほぐれていく。

「あの若い二人組は？」

「とっくに寝ましたよ。彼等は朝が早いですから。仲がいいですね、あの二人。兄弟みたいだ。あんな真っ当な青年がこの館にいるのがよく分からない」

彼も私と同じ疑問を抱いたらしい。クロードはワゴンに載せてある瓶を取り上げ、マチルダと自分の酒を作る。

「そうか。残念だな。ロナルドの話の続きを聞きたかったのに」

私はソファに背中を沈めた。

「ああ。あれはなかなか興味深い話でしたね。明日の夕食にでも聞き出しましょう」

「それにしても、あんなに重要な一日のことを忘れていたとはね。自分でもよく分からないよ」

私は思わず弱音を吐いた。クロードが静かに笑う。

「記憶というのは面白いものですよ。これだけは忘れちゃいけない、これだけはやらなくちゃいけないと思って何日もかけて準備していたことが、いざ当日になるとすこんと頭の中から抜けてしまっていることがある。いつもやっていることをいざ言葉にしようとしたり説明しようとしたりすると、ぎっしり詰まっていたはずの言葉がきれいさっぱり抜け落ちて真っ白になってしまったりする。ジェフリー、その日があなたにとってあまりにも重要な日だったからこそ、あなたは忘れてしまったんですよ」

素直に彼の言葉が心に入ってくる。

そうかもしれない。妄執に囚《とら》われて

私はゆっくりとグラスに唇を当てた。

「あら？　この絵はあなたが書いたの、ジェフリー」

マチルダの声に私は我に返った。

「え？」

マチルダの手の中にあるスケッチブックを見ると、表紙の隅っこに何やら小さな走り書きがある。

紋章らしきもの。私はハッとした。さっき夢で見た、あの形だ。無意識のうちに書き取っていたらしい。

「済まない、ぼんやりして悪戯書きを。画家のスケッチブックに落書きするとは、私も大胆なことをしたものだな」

慌《あわ》ててペンを取り出して塗りつぶそうとすると、マチルダがさっとスケッチブックを取り上げた。

「いいえ、いいのよ。それよりも、これはなんの紋章？」

マチルダは興味津々《しんしん》という表情で拙《つたな》い絵をのぞきこんでいる。

「それが分からないんだよ。これも夢に出てきたんだ。この調子だとそのうち霊媒師になってしまうかもしれない」

私は途方に暮れて両手を上げてみせた。

「ふうん。夢のお告げね。それにしてもおかしな紋章——サポーターのシニスターは一角獣。デキスターのこれは何？　僧？」

マチルダは私の手からペンを取り上げ、改めてその紋章を書き直し始めた。

「いや、違う。若い娘だ。若い娘が白い布をかぶって顔を隠している。そして、なぜか胸に大きな剣が刺さっているんだ」

「剣が胸に？」

マチルダは眉《まゆ》をひそめながら省略した線で紋章を書き進める。

「こんな感じかしら？　不思議な紋章ね。それで、楯の中には三つの円」

「そう。楯には書き込めなかったけど、円の後ろは四分割されていた。第一クオーターと第三クオーターは青地に百合《ゆり》。第二クオーターと第四クオーターは三匹の獅子《しし》だった」

「フランスとイングランドね。相当由緒《ゆいしょ》のある家柄でないと使えないチャージだわ。へんね、そんなに由緒のある家柄なら見たことがあってもよいはずだけど」

「君は詳しいのかね？」

「デザインの勉強をする時に齧《かじ》った程度よ。意匠が面白いからいろいろ探して眺めてた時期もあったわ。でも、紋章って人によって解釈もまちまちできちんと系統だったものがあるわけじゃないから、結局よく分からないものが多いのよ。例えばこのブルボン王朝を象徴する百合――フラ・ダ・リと呼ばれている――だけど、実のところは本当に百合をデザインしたものかは分かっていないのよ。かなり古くからある意匠だということは確かだけれどね。スコットランドのアザミだって、本当にあれがアザミなのか、なぜアザミがスコットランドになったのか誰も知らないわ」

「ふうん」

「そういえば、あの新興国の日本にもこういう紋章があると聞いたことがあるわ」

「日本に？」

「ええ。私の友人に、親戚《しんせき》が日本に行っていた人がいるの。その人が持ち帰ったいろいろな布や道具を見せてもらったことがあるんだけど、ものすごく洗練されたデザインで驚いたわ。あたしたちとは省略のしかたが全然違うの。あそこもかなり歴史の古い国だそうだから。ただ、日本の紋章は家を単位に決まっていて、未来永劫《えいごう》子供も孫も同じデザインを使い続けるそうよ。イギリスの場合は、個人個人で少しずつ縁取りを付けたり模様の一部を変えたりして常に変わり続けていくから、その辺りは違うわね」

「へええ。遠い未来にイギリス王家とミカドの子孫が一緒になったらどうなるんだろう」

「そんなことがあるはずはないよ」

「でも日英同盟だって結ぶご時世だからね。わからんよ」

「そうね。王家の紋章に日本の家紋が入る日が来るかもしれない」

マチルダは小さく笑うと、ペンをぶらぶらさせた。

「コンパートメントは何？」

「ああ、楯の下の部分だね。ええと——ああ、舟だ。小さな舟。楯の上には丸い冠が載っていたと思う」

「冠。どんな冠だった？」

「細かいところはよく覚えてないんだが」

私はマチルダの手からペンを取って、丸い宝玉がアーチ状に連なった冠を書いた。

彼女はじっと私の手元を見ている。

「冠にも区別が？」

クロードがグラスを揺らしながら尋ねた。

「ええ。王と皇帝でも違うし、聖職者の位によっても異なるわ。この冠だと、少なくとも王子以上のクラスということになる。こんな紋章、本当に見たことがないわ。何かモットーはなかった？」

「あったようなんだが、意味が分からなかった。結構長い文章だった」

「たぶんラテン語だからしょうがないわね。面白いし、気になる。ロンドンに帰ったら早速図書館に行ってみなくちゃ」

夢中になっているところが何やら小さな少女のようで愛らしかった。私は少し悪夢から覚めたような心地になる。

「この剣の刺さった女はどういう意味を持つの？」

クロードも興味をそそられたようで、教師に尋ねる生徒のように無邪気な声で尋ねた。

「分からない——紋章のチャージにはいろいろと不思議なものがあるからね。蛇に飲み込まれる子供とか、足が三本くっついているマン島のは有名だけど、骸骨《がいこつ》だの墓場だの頭を射抜く矢っていうのもあるし、目が七つある女という珍しいものも見たことがあるわ。でも胸に剣を刺した女なんて見たことも聞いたこともない。一角獣は純潔とか永遠とか時間を表すと言われているけど——この三つの円も完全とか永久を示しているのかもしれない。分かるのはせいぜいこの程度。でも、不思議なのは、この紋章はほとんど手が加えられたあとがないことよ。こんなふうにイングランドとブルボン王朝の印を持っているような紋章は、普通今ごろでは縁取りが派手になるとか、もっと楯の中が分割されてるとか、かなり複雑になっているはずよ。こんなふうにシンプルなのは、最近新しく作られた紋章か、一代限りだったとか、何らかの事情があったんだわ。でも、このところこんな紋章が作られるような王室の変化はなかったし、新しい紋章の許可をとるのはますます難しくなってきてるし。だとすると、うんと古い時代の一代限りの紋章だったと考えるのが正解のような気がするわ。それっきり途絶えてしまった王家の庶子とか」

「ふうん。面白い」

私とクロードはマチルダの話に聞き入りながら、スケッチブックの表紙に描かれた意匠を見つめていた。私は自分が見ているものが実感できなかった。単に私が勝手に作り出した意匠なのだろうか？　それともこれが何かを私に告げようとしているのだろうか？

胸にのしかかる闇《やみ》の中で、私は考えていた。

夢は見なかった。それとも、夢の中で考えていたのかもしれない。

私はこのまま突き進むべきなのだろうか？　それとも何もせずに引き返すべきなのだろうか？　昨夜のテーブルで、私が妻の話をした時に、激しく動揺した者はいただろうか？　それとも、もはや奴《やつ》は動揺などしないのだろうか？

寝苦しい夜だったが、それでもいつしか眠っていた。

夜中にコトンという音がして目が覚めた。

目が覚めた時、それがまだ夢の中のような気がしたが、じわじわと現実の気配が全身に染《し》み透《とお》ってきた。

どうやら、まだ夜明け前のようだ。

なぜか違和感を覚えた。汗まみれの全身に、冷たい緊張の汗が混ざっている。

どうして目覚めたのだろう？

次の瞬間、私は闇の中でドアを見つめていた。

誰か、いる。

私は直感でそう悟った。誰かがあの向こうに立っている。

「誰だ？」

思ったよりも低い落ち着いた声が出た。

沈黙。

やがて、ザッというかすかな音がして、気配は消えた。

さらに暫《しば》らく待ってから、私はよろよろと立上がり、ドアにそろそろと近付いた。

足に何かが触れる。

息を止めて見下ろすと、ドアの下から白いものがのぞいていた。

私はそれを取り上げて窓べに近寄り、月明りでそれを見た。

一週間前の日付の『パナマ・スター』。

大実業家ジェフリー・ハワード氏運河をお忍びで視察。

月明りの下に浮かび上がる、写真の中のいかめしい自分の顔はデスマスクのように見えた。


再び朝がやってきた。

ぎらぎらと全《すべ》ての造形物が輝き出す世界を見ながら熱いコーヒーを飲む。

既にこんな場所でも習慣化されている日常。人間は習慣を作るのが好きらしい。

が、私の頭の中は不穏なものがふつふつと煮えたぎっていた。

夜中に差し入れられた新聞が、昨夜はすっかり弱気になっていた私の心を再びかたくなにしていたのだ。

やはり、いる。奴はこの中にいるのだ。同じ館《やかた》に。同じテーブルに顔を合わせているのだ。何食わぬ顔で私の話を聞きながら、優雅にスープを啜《すす》っていたのだ。

むっとする空気が、今朝は私の感情の焚《た》き付けになっているような気がした。

どういうつもりなのだろう、奴は。黙っていればこのまま私が帰るかもしれなかったというのに。わざわざ自分が私の素性を知っていることを突き付けてどうするつもりなのだ。対決するつもりなのか。それとも、私をも殺すつもりなのか。

いずれにせよ、相手が私を煽《あお》っていることは確かだ。ならばこちらもその気でいくまでだ。

「おはよう、ジェフリー」

マチルダが出てきた。だが、今朝は顔の表情が暗い。

「おはよう、マチルダ。昨日はいろいろとありがとう。どうかしたのかい、元気がないね」

「母の具合がなかなかよくならないの。水分をとるのがやっとで何も食べてくれないわ。こんなところではお医者様もいないし。ああ、やっぱり連れてくるんじゃなかった」

昨夜のおきゃんな様子とは一転して、いっぺんに歳《とし》を取ったように見えた。

「君達はどうしてここへ？」

押さえていた質問が、するりと口から飛び出していた。

マチルダはハッとしたように顔を上げた。私は後悔した。

「いや、済まない。こんなことをきくつもりはなかったんだが」

「いいのよ。みんな不思議に思っているでしょう。まあ、こちらもみんなのことを不思議に思っているけどね。でも、説明しても信じてもらえないと思うわ。信じてもらえないような理由なの」

「信じられないような理由？」

「ふふふ、余計好奇心を煽ってしまったかしら？　期限が過ぎたら話すわ。母との約束は一週間だから。でも、安心して。後ろ暗いことではないのよ。これだけは信じてちょうだい」

マチルダは乾いた笑い声を立てた。

確かに彼女の申出は私を混乱させ、より強い関心を引き起こしたが、さすがにそれ以上彼女に問いただすことはできなかった。

「ジムとロナルドに、お医者様を紹介してもらえないかきいてみるわ」

マチルダは豊かな黒髪をなびかせて部屋の中に入っていった。

私はサロンでその男が動き出すのをじっと待っていた。

身支度を整え、先に出かけるふりをして、物置小屋の裏の日陰で館の様子を窺《うかが》っていた。

やがて、その男は周囲を注意深く見回してからぶらぶらと館を出た。

炎天下の土の上を、のんびりと歩いている。が、館を離れてしばらく経《た》つと、急にきびきびと歩き出した。離されないようにこちらも足を早める。

労務者たちが忙しく動き回る慌《あわ》ただしい工事現場を通り過ぎ、男はさりげなく現場事務所の裏に立った。人待ち顔にきょろきょろと辺りを見回している。

やがて、やはりさりげなく彼に近寄ってきた男がいた。一見他の労務者たちと同じような格好をしているが、その目付きの鋭さが一瞬その場から浮き上がって見える。

二人は目を合わせないように並んで立ち、ぼそぼそと何事か言葉を交わしている。

暫く話をしたあとで、労務者風の男はすっと人込みに消えた。

男は険しい顔で一人で考えこんでいたが、やがて再びもと来た道を戻り始めた。

無駄のない足取りでどんどん歩いていく。

工事現場から離れ、道に人気がなくなった。

館への道程《みちのり》の半分にさしかかった時、私は決心して素早く彼の後ろに近付いていった。

「気が済みましたか、ジェフリー？」

背中の向こうから落ち着いた声がした。

全身の筋肉が硬直した。

「気が付いていたのか」

そう呟《つぶや》くと、クロードがくるりとこちらを振り返った。表情は厳しい。昨日、ジャケットを背負って話しかけてきた時とは全く違う顔に見えた。

「あなたはアマチュア。私はプロですからね」

クロードは葉巻を取り出した。

「どういうつもりだ。貴様が妻を殺したのか？」

私は低く唸《うな》るように言った。

「ご冗談を。あなたもよくご存じのはずだ。一年前にニューヨークのホテルでエレノア・ハワードを殺したのは、三十歳前後の若い黒髪の男。私がどんなに若作りをしても、いくらなんでも三十歳には見えませんよ」

乾いた口調でクロードは火を点《つ》ける。

「そんなことまでなぜ」

私はクロードの顔を見た。これまで見慣れていたにやにや笑いはかけらもない。

「私はあなたの邪魔をする気はありません。だから、あなたも私の邪魔はしないでいただきたい。やっとここまで漕《こ》ぎ着けたところなんだから」

「邪魔だと？」

「ええ。捜査の邪魔です」

「捜査？　じゃあ君は」

私は肩から力が抜けていくのを感じた。

「私たちはフランス政府から委託を受けて、フォン・ライナッハ男爵《だんしゃく》の受けとった九百万フランの行方を追っています。パスコーなる男はこの世には存在しません。本当の名前はコーネリアス・ハーツ。既にフランスを脱出してバーンマスで療養中らしいですがね。彼はもうフランス当局に身柄を押さえられています。私の仕事は男爵からハーツに流れた二百万フランの行き先を調べること。私は男爵とハーツの流れの上にあるこの館をそのまま宿にしてお客を入れ続けました。彼等の関係者がここを利用することを願ってね。そして、今回ハーツの小切手帳の名前と思われる人物が滞在することが分かった。そこで私も客としてここにもぐりこんだわけです」

クロードは歯を見せて葉巻をくわえた。しかし、それは笑顔で唇が上がったのではなく、憎々しげに歪《ゆが》んだためだった。

「正直言って、予約客にあなたの名前を見た時は、あなたもスキャンダルに絡《から》んでいるのかと疑いました。失礼ですが、あなたの身辺も洗わせていただきました」

彼はぴくりとも表情を変えずに続けた。

「でも、どうやらあなたは違うものを追っているらしいと分かった。ジェフリー・ハワードは何を追っているのか？　私が得た情報によると、彼は妻のエレノアが部屋で殺害された日に同じホテルに泊まっていた若い男の一人客を探している。当時、事件は強盗殺人事件として処理されていた。犯人はまだつかまっていない。だが、ジェフリー・ハワードはどうやら犯人がどんな男か知っているらしい」

顔がひりひりした。これまで口に出さず胸の中に一人でしまっていたことが、ずるずると眩《まばゆ》い光の中にひきずりだされてゆく。

絨毯《じゅうたん》の上に倒れていたエレノア。

彼女の上にかがみこんでいる、手が血まみれの若い男。

エレノアの唇がゆっくりと動く。

ごめんなさい、あなた。ゆるして。

「あなたは実に辛抱強く容疑者を絞りこんでいった。そして、絞りこんだ容疑者がパナマに来ていることをつきとめた。どうやらその人物がパスコーなる人物の館に滞在していることも。あなたはあらゆるつてを辿《たど》って自らここに乗り込んできたわけです」

クロードは言葉を切って正面から私を見た。

「あなたは昨日、電報を受けとりましたね？　そこには、その男の名前が書かれていたはずだ。むろん、ここでは名前を変えているでしょうが」

クロードは、そこでふと眉《まゆ》を曇らせた。

「どうなさるつもりですか？　パナマ警察に引き渡しますか？　それとも、自ら制裁を加えたいと？」

「まだ分からない。本当のところ、決めていないんだ。奴を突き止めて、追及して、奴の態度を見て決めようと考えていた」

急に疲れを感じて、私はのろのろと答えた。最初は奴を見つけ次第殺そうと思っていた。だが、今ではどうするつもりなのか自分でも分からなかった。ふと、真っ先に聞くはずだった質問を思い出した。

「じゃあ、昨夜はどうしてあんな真似《まね》を？」

今度はクロードが訝《いぶか》しがる番だった。

「あんな真似？」

「私の部屋に私の写真が載った『パナマ・スター』をさしこんでいっただろう。あれで私は逆上したんだ。てっきりあなたが私を挑発しているんだと」

クロードは顔をしかめて首を振った。

「私じゃありません。なぜ私だと？」

「新聞を取り上げた瞬間、その葉巻の匂《にお》いが残っていたからだ」

クロードは驚いた顔になり、吸っている葉巻を見下ろした。

「それは面白い。私とあなたを衝突させるつもりだったのかな。私の葉巻を取り出そうと思えば、誰だっていつでもできる。たぶん、彼は私が部屋に隠しておいた新聞を盗み出したのでしょう」

クロードは考え込んだのち、威嚇《いかく》するような声で言った。

「話は複雑になってきている。とにかく無茶な行動はやめてください。あなたの行動は私の仕事にも影響する。あなたの獲物はあなたが何のためにここにやってきたか知っているようだ。でも、私の獲物は私が誰なのか知らない。ここが問題だ」

私と彼の間に気まずい沈黙が落ちた。

「考えておくよ」

私は冷たく答える。クロードは無表情な目で私を見た。私は彼を残して館に向かって歩き出した。

「ムッシュー」

後ろから声を掛けられる。足を止め、チラリと彼を振り返る。クロードは空に目をやったまま尋ねた。

「あなたは奥さんがその男と通じていたと思っているんですか？」

もちろん、私は返事などしなかった。


スコールの時間が来た。

白黒の世界。私はじっと部屋の中で腰掛けたまま雨の音に身を委《ゆだ》ねていた。

再びあのミュシャの絵が、あの奇妙な紋章が頭にじわりと浮かんでくる。

全《すべ》てが面倒くさくなった。何もかも放り出し、朝になったら汽車に乗って帰ってしまおうか。

私は間違っていない。私は妻を殺した男をつかまえたいだけなのだ。

あなたは奥さんがその男と通じていたと思っているんですか？

クロードの声が脳裏から消えない。いつか誰かが口にすることをずっと恐れていた言葉。何よりも私自身が決してその言葉を使おうとしなかった。

エレノアの不実。不貞。

こうして今ようやく言葉にしてみると、きりきりと心臓にその棘《とげ》が突き刺さってくる。傷は鋭く、棘は容赦なく心を切り裂き、たちまち熱い血が溢《あふ》れだしてくる。

あの瞬間私が憎んだのはあの若い男ではなく、ずっと信じてきた自分の妻だった。

妻もそれを悟ったのだろう。

ごめんなさい、あなた。ゆるして。

あの一言が全てに幕を下ろした。彼女はそれを認めたのだ。

私が復讐《ふくしゅう》したいのは彼女だった。しかし、彼女はもう世を去っている。ならば、相手の男を追うしかない。相手の男を切り刻むことで自分を納得させるしかない。世間には強盗殺人だということで通した。妻が若い男を部屋に入れるところを見た者もいたが、それは全て金と圧力で黙らせた。ジェフリー・ハワードの貞淑な妻が、息子たちの優しい母が、一回り以上も若い男とホテルの部屋で会い、痴情のもつれで殺されたなどと、決して誰にも言わせはしない。

そうだ。クロード。私は彼女が私を裏切っていたことを知っている。裏切っていたことを憎んでいる。だから私はやはりここでその若い男を追い詰めなければならないのだ。私の栄誉のために。私と彼女の歳月のために。私のこれからの孤独な歳月のために。

激しい雨の音が館を押し潰《つぶ》す。

ポーチから規則正しい雨垂れの音が聞こえる。

私は色彩を失った世界で一人椅子《いす》に座って夜を待っている。

濃い闇《やみ》が夜を沈めた。

夕食の席は、気のせいかぴりぴりした緊張感が漂っていた。私だけがそう感じていたのかもしれない。クロードはこれまでの遊び人の顔にすっかり戻っていたが、やはりどこかに苛立《いらだ》ちのようなものをのぞかせていた。それは私をチラリと見る時の視線に潜んでいる。

分かってるよ、と言いたかったが私は黙っていた。そっとジャケットの胸に手を当てる。

マチルダは顔色が悪かった。相変わらず母親の健康が思わしくないようだ。

しかし、考えてみるとまだ一度も彼女の母親を見たことがなかったな、という考えが頭に浮かんだ。ひょっとして、誰も見ていないんじゃないだろうか？　もしこれが彼女の狂言だったとしたら？　彼女の母親の存在が嘘《うそ》だったとしたら、この娘はすごい役者だ。だがなんのために？

冷たい目でマチルダの顔を見ながら、その一方でそんなふうに考える自分に嫌気がさしていた。

いつも陽気な若い技師二人組も今日は元気がない。仕事が難航しているのかもしれない。

これまで繕っていたものがほどけてしまったようなよそよそしさがテーブルを覆《おお》っていた。テーブルの上を行き交うのは、ぐるぐると同じ話を繰り返すエレンと人の話を聞いていないポール、そして、催眠療法が現代人にいかに必要とされているかをしつこく力説するマイケルの声だけだった。

私の側《そば》ではしばらく黙々と食事の時間が続いたが、クロードが思い出したようにロナルドの顔を見た。

「そうだ、ロナルド。昨日の話の続きを聞かせてくれよ。運命的な出会いを越えた出会い――だったっけ？　ジェフリーも知りたがってたぞ」

ロナルドがハッとしたように私とクロードの顔を見た。私もなんとか自然な笑みを浮かべ、頷《うなず》いてみせる。

「うむ、聞きたいな」

ロナルドはテーブルを見回し、はにかんだ表情になると口を開いた。

「僕の大学時代の友人なんですが、夢見がちで奇妙な男でね。要するに、自分には生まれる前にもこの先遠い未来にも会うことが決まっている一人の女がいる、というんです」

マイケルとポールが鼻を鳴らして小さくため息をついた。マチルダと私が睨《にら》みつけると、慌ててこそこそとスープに没頭する。

「ロマンチックな男だな。詩人だね」

クロードが愛嬌《あいきょう》のある茶々を入れた。ロナルドは小さく笑った。ふと、この青年がひどく美しい男であることに気が付いた。同性から見ても心ひかれるような。

「僕も最初はとりあわなかったんです。でも、あまりにも描写が具体的なのでだんだん話を聞くようになってきた。彼が言うには、その女と彼は決して結ばれることがないらしい。だが、今まで自分たちは何度も巡り合って人生を交差させてきた。それがどんなふうに用意されているのか自分たちには分からない。だが、自分たちが出会った瞬間、それが彼女であり彼であると互いに気付く。その瞬間の幸福は何物にもかえがたい。自分たちが永遠に不滅の二つの魂であることを実感して震える瞬間、世界が自分の内側にあるような喜びを覚えるんだそうです」

「その彼は、その女とはもう会ったのかな？」

「いえ、まだらしいです。自分はまだだと言ってました」

ロナルドはゆるゆると首を振る。彼は自分のことのように幸福そうな瞳《ひとみ》で語るのだった。

「いったいどうやってそういうことを彼は知ったの？」

耳を澄ませていたエレンが尋ねる。

「夢で知った、と彼は言っていました。夢の中で、過去や未来に彼女に会った時のことを思い出すんだそうです」

「分からないわ。決して結ばれることはないのでしょ？　ただ擦れ違うだけ。それがなんになるというの。それじゃあ喜びもすぐに苦しみに変わってしまうじゃないの。添いとげることができないなんて、ただの片思いと一緒だわ」

エレンは甲高い声であきれたように言った。

「そういう見方もあるでしょうね」

ロナルドは無邪気に笑った。

何が直接の原因かは分からない。だが、私はその瞬間自分の中の何かが爆発するのを感じた。彼の澄んだ笑顔のせいか。若者の楽観主義のせいか。あるいはおとぎ話のような夢物語が老いた魂を逆撫《さかな》でしたのか。

何をしゃらくさいことを。何が分かるというのだ。愛情を、夫婦を、結婚生活を。信頼というほのかな明かりのみを頼りに、荒波をこぎ続けるような数十年にも亘《わた》る男と女の生活。おまえがそのうちどれだけ知っているというのだ。何物にもかえがたい幸福な瞬間だと？　永遠に不滅の二つの魂だと？　どんなに強固に築きあげたつもりでも、どんなに信用していても、あっけなく崩れ去る歳月の残酷さを想像できるのか、おまえは？

私の中で何かがぐらぐらと煮立ち、黒い壁を破って溢れ出そうとしていた。

「――ロナルド」

それまで黙っていたマチルダが、突然思い詰めた顔で口を開いた。

どくどくと説明のつかぬ怒りに苛《さいな》まれながらも、私は彼女の顔があまりにも青白いのに驚いた。具合でも悪いのだろうか？　彼女はまじまじと恐ろしいものでも見るような顔でロナルドを見つめている。ロナルドもびっくりしたように彼女の顔を見つめていた。

「何か？」

恐る恐る答える彼に、マチルダはごくりと唾《つば》を飲み込んだ。

「そのお友達は、今、どこに？」

「え？」

ロナルドは目をぱちくりさせる。他の者も話が見えずにマチルダの顔を見守っている。

「教えてください。彼はどこ？　彼の名前は？」

ロナルドはおろおろすると口ごもり、うつむいてしまった。

「――それは、言えません」

混乱した沈黙が降りた。俯《うつむ》いたロナルドの顔を見た瞬間、私の中で理由のない怒りが弾《はじ》けた。

私は椅子を引き、ナフキンを押しやった。

「もう、こんな茶番劇はやめよう」

みんなが一斉に私を見るのが分かる。クロードの視線を感じた。何かを訴えようとしているが、無視する。部屋の中は風船が破裂する寸前のような緊張がはりつめていた。

「率直に言おう。この中に私の妻を殺した者がいる。一年前、ニューヨークのメトロポリタンの305号室で、私の妻を刺して逃げた者がいる。私はずっとその男を追ってきた。その男も私の目的に気づいていることは分かっている。いい加減、騙《だま》し合いをするのはこりごりだ。頼む、名乗ってくれ。私はもう疲れた。そろそろけりをつけたい。**いったいこの中の誰なんだ？**」

突然の告白に、食堂がしんとした。

テーブルに着いている全員が明らかに動揺した。私はじっとみんなの顔を交互に睨みつけていたが、これでは誰が犯人なのか分からない。クロードが迷惑そうな顔をしている。マチルダはあっけに取られたような顔だ。ポールとエレンは口をぱくぱくさせ、マイケルはぼんやりとしている。ジムとロナルドは顔を見合わせている。

私はますますうんざりした。立ち上がり、力をこめてテーブルを叩《たた》く。グラスががしゃんと揺れた。

「名前は分かっている。今は偽名を使っているということも。名前を偽るのも疲れただろう、そろそろ出てきたらどうだ、**エドワード・ネイサン？**」

ぎくりと身体《からだ》を震わせた者が二人いた。

マチルダ。彼女は強い衝撃を受けているようだった。なぜ彼女がこれほどの衝撃を受けているのだろうと頭の片隅でちらっと考えたが、私はもう一人の方に顔を向けた。

真っ赤な顔をして歯を食いしばっているジムだ。

ジムは怒りに燃えていた。椅子を蹴《け》って乱暴に立ち上がった。黒い髪、黒い瞳。真っ正面からこちらを睨みつけてくる。

「それはこっちの台詞《せりふ》だ。自分が今何をしてるのか分かってるのかっ」

「おまえか、人殺しめっ」

頭の中が真っ白になった。炸裂《さくれつ》する憎悪《ぞうお》。私は無意識のうちにジャケットの内側から拳銃《けんじゅう》を取り出して彼に向けていた。悲鳴が上がり、みんなが一斉に立ち上がった。何ごとかと部屋をのぞきこんだムラートの男の子がひっと叫ぶのが視界に入った。

「許さんっ」

「やめてください、ミスター・ハワード」

ロナルドがジムの前に立ちはだかった。澄んだ瞳が私の目を貫いたような気がして一瞬たじろいだが、私は顎《あご》をしゃくった。

「そこをどけっ」

「ジムを撃ってはいけません、ミスター・ハワード」

ロナルドは奇妙に落ち着き払った目で私を見据えた。手の中の拳銃は彼を狙《ねら》っている。しかしロナルドは微動だにしない。頭のどこかで温度がすうっと下がったような気がした。気が付くと、私はわなわなと震え、ぜえぜえ荒い息を吐いていた。

ロナルドはもう一度言った。

「撃ってはいけません。なぜなら、彼はエドワードではないからです」

「なんだと？」

「――エドワードは私です」

ロナルドは眼鏡を外し、静かな黒い瞳で私を見つめた。

私はなんと言ったらよいのか分からなかった。何か言葉にならないうなり声を上げながら、その場に立ち尽くしていた。

「ミスター・ハワード。どうか私の話を聞いて下さい。それでも許せないのなら、その時は私を撃って下さい」

ロナルドは辛抱強く語りかけた。既に毒気を抜かれていた私は、何も言わずにぼんやり彼の顔を見ているしかなかった。全身の汗が急速に冷えていく。

周りの者が思い出したようにホッと溜《た》め息をついた。

「なぜ殺した――妻を？」

低く呟《つぶや》いた私を、ロナルドは――いや、エドワードは悲しそうな目でちらっと見た。

「私は殺していません」

「じゃあ、なぜ名前を変えて逃げた」

エドワードはぐっと詰まった顔をした。隣のジムが顔を真っ赤にして何か言おうとしたが、エドワードが制する。

「彼女の名誉を守るためです」

「笑わせるなっ」

私は叫んでから咳《せ》きこんだ。苦い汗と涙を目に感じ、頭が痛んだ。自分ががくがくと誰かに肩をつかまれ揺すぶられているような気がした。

エドワードは苦しそうな顔をした。

「あなたは全《すべ》てを誤解している。彼女がなぜあなたに許してと言ったのか。なぜあなたがミュシャの絵を覚えていたのか」

「え？」

そこになぜミュシャの絵が出てくるのだろう。私は心の中で首をひねった。

「あなたは本当に覚えていないのですか。あの日自分が何をしたか」

エドワードはじっとこちらを見据えている。その落ち着いた視線に、初めて私は心のどこかに忘れていた恐怖が蘇るのを感じた。

私が何をしたか？

「あの日あなたは、私が蠟《ろう》で封印をした手紙をホテルで見つけた。あの人は、久しぶりに私に会えるので少し油断したのでしょう。あの人はとても用心深い人でしたし、自分の行動があなたを傷つけるのをよく知っていましたから」

エドワードは暗い目付きになった。私は心がざわざわするのを感じ始めた。

この男は何を言おうとしているのだ？

「あなたが最初に見たのは、あの紋章なのです。あれはうちに伝わる特殊な紋章で、私はあの人に出す手紙はいつも名前を書かずにあの封印で手紙を送っていました」

目の前に、あの紋章が浮かんだ。

「あなたは手紙を読んでしまった――誤解したのも仕方がありません。私たちの逢瀬《おうせ》はいつも刹那《せつな》的でしたから、あの手紙を別の意味にとってしまっても無理はないと思います。あなたはひどく衝撃を受けた。その事実を認めようとしなかった。このことを大変申し訳なく思っています。私たちはどうしてよいのか分からなかった。彼女と何度も考えたのです、あなたにこのことを伝えるべきか。彼女はあなたが苦しむならば知らない方がよいと考えました」

何を言っているのだろう、この若者は。殺人者であるはずの男、地面にはいつくばって私に許しを乞《こ》うはずだったこの男は。

「いったい何を。何を隠していたんだ、彼女は」

声が震えていることも気にならなかった。今はただその答が知りたかった。

エドワードは顔をそむけた。

「私は朝からホテルを見ていました。あなたと、彼女をじっと遠くから見守っていました。エレノア——私の母を」

その言葉の意味を把握できなかった。

周りの者が息を呑《の》むのが分かった。

「エレノアは、十代の頃好きになった男性がいました。二人は愛し合っていましたが、周囲は許してくれませんでした。なぜならば、その時男性は、既に不治の病に冒されていたからです。でも、エレノアは周囲の反対を押し切って最後まで彼の側《そば》にいて、一人の子供を生みました。けれど、彼女には一人で育てることはできません。結局子供は彼の親戚《しんせき》に引き取られました。子供を引き取った一家は、やがてアメリカに移住します。彼女は後に、あなたと愛し合って結婚しました。いつも幸せだった、素晴らしい人生だったそうです」

それまで冷静だったエドワードの声がかすかに震えた。

「彼女は誰にでも惜しみ無く愛情を注ぐ人でした。あなたは誰よりもよくご存じでしょう？　彼女は人に貰《もら》われていった私のこともずっと心に掛けてくれていたのです。私は一緒に暮らすことはできなかったけれど、育ててくれた家族にも恵まれていたし、彼女のような素晴らしい人が母親であることをいつも誇りにしていました。会えるのは年に数回だけでしたが」

私は頭を殴られたような気がした。

エレノア――エレノア。

「あなたは手紙を見て激しく動揺していた。必死に自分を押さえようとしていた。私はあなたたちをつけていました。ミスター・ハワード、あなたはあの日の自分の行動を覚えていますか？　あなたとエレノアはホテルを出て、近くのホールに行きました。あなたは上の空でした。あなたは覚えていないでしょう、ホテルの部屋を出る時、無意識のうちにルームサービスのワゴンの上にあったナイフを手に取ってポケットに入れたのを。私はそれを見ていました。あなたがポケットに光るものを入れるのに気付いたのです」

何かが音を立てて崩れていく。修復しようのない形で壊れていく。

「あなたたちはあの日を楽しみにしていた。あの時、そもそもなぜ商用の旅の途中にニューヨークにエレノアと滞在したのか覚えていますか。あなたたちはなぜホールに行ったのか」

ホール。エレノアと出かけた？

「あの時、ニューヨークでは、世界で初めてストーリーのある映画が公開されていて、大評判のロングランになっていました。『大列車強盗』です」

雨垂れの音を聞いたような気がした。いや、雨垂れではない。あれはなんだったのだろう。フィルムを回す音。映写機がカタカタ言う音。激しいスコールの音を聞いたような気がした。いや、スコールではない。あれは喝采《かっさい》だ。大勢の人が映画に興奮して拍手を送っている音だったのだ——

「私は不安でした。あなたたちのあとをつけていきました。あなたは映写機に興味があると言いました。あなたたちは混んでいる会場の後ろの方に行った。エレノアははしゃぎながら映画に見入っていました。あなたは——あなたはぼんやりと映写機を見つめていました」

白黒の世界。色彩のない世界。雨垂れの音。スコールの音。

「あなたはぼんやりとして、自分がポケットからナイフを出したことに気付いていないようでした。あなたはエレノアの背中にナイフの先を当てて、何かを耳元に呟いていた」

裏切り者。俺をずっと欺《あざむ》いていたのか。

「エレノアは一瞬にして全てを悟りました。あなたが私の手紙を見つけてしまったこと。読んでしまったこと。あなたが彼女のことをどう考えたのか。彼女は絶望しました。あなたの全ての信頼を失ったことに。彼女の瞳《ひとみ》が凍り付きました」

エドワードの声がかすれてきた。

「あなたはぼんやりと映写機を見つめていました。あなたはただエレノアの背中にナイフを突き付けたまま立っていた」

エドワードの顔は蒼白《そうはく》だった。もはや誰の顔も見ていない。

「――動いたのはエレノアの方でした」

うめくような声を上げてマチルダが泣き出した。

「私は今でもあの時のことが目の前にありありと浮かびます。エレノアが奇妙な笑みを浮かべてくるりとあなたに向き合い、ゆっくりとあなたに抱き付いていったのを。彼女はしばらくじっとそのままでいました」

誰もが身動きできなかった。

「あなたはぼうぜんと立っていた。ただ、じっと映写機の回るのを見ていました。けれど、そのあとのエレノアは機敏でした。よろめきながらもナイフが刺さったままの身体にコートを着て、歯を食いしばり、平気な顔を装《よそお》って一人でホテルに戻ったのです。私が続いて部屋に飛び込んだ時は、もう意識が朦朧《もうろう》としていました」

ごめんなさい、あなた。ゆるして。

「私は逃げました。母はあくまでも強盗に殺されたのです。そうでなければならないのです」

エドワードは呟くように言葉を続けた。

「あなたは覚えていなかったでしょう——自分がホールを出たあと、近くで開かれていたミュシャの展覧会に入ったことを。あなたは必死に現実を否定しようとしていた。全てをなしにしてしまおうとしていた。あなたは回る映写機しか見ていなかった。あなたはミュシャのあの絵を見ても、絵の隅に書かれたマークしか見ていなかった——あなたにとっては、あれは回るフィルムとしか見えなかったのです。あなたは何も見ていなかった。評判の映画も、自分の突き付けたナイフに抱き付いてきたエレノアも、ミュシャの絵も」

私の手は伸び切っていた。重い。指先にぶら下がる黒い鉄の塊がどんどん重くなってゆく。

「私は逃げました。私は部屋に入るところを見られていますから、じきに追っ手が来るでしょう。私はつかまるわけにいかなかったし、誰かに事情を説明するわけにもいかなかった。ジムに全てを打ち明けると、彼はちょうど契約を済ませ出発するところだったパナマに行って、一緒に仕事をしようと言ってくれたのです。暫《しばら》くほとぼりを冷ますにはよい土地だと。私は名前を変え、髪を茶色にそめ、眼鏡をかけました。それでも宿は人目につかない方がいいと、つてを頼ってこの館《やかた》に。ところが、どうも本国では私をつかまえようとする気配がない。しかも、あなたが私を密《ひそ》かに探しているらしい。私はあなたの意図をはかりかねました。ひょっとして、私がエレノアの子供だと気付いたのか？　私はあなたが来るのをずっと待っていました。あなたがなぜ私を探しているのか知りたかった――新聞を部屋に入れたのは私です。あなたに早く行動を起こしてもらいたかったからです――そしてその通りになりました。今こうして、あなたが私を探していたのは、私がエレノアを殺したと思いこんでいたあなたが私を殺すためだと分かったわけです」

エドワードはひどく疲れた顔になった。

そして、私たちは視線を合わせた。初めて顔を見るような気がした。

私たちはずいぶん長い間、ぬけがらのようにお互いを見ていた。

突然、エドワードはぐしゃりと子供のように顔を歪《ゆが》めた。が、ゆっくりと、泣き笑いのような奇妙な笑みを浮かべた。

「――私を殺しますか？」

私はそっと顔をそむけた。

「明日」

自分のもののようではない声が呟いていた。

「明日ここを引き払う」

やっとのことでそれだけ言った。

エドワードは、つかのまじっと私を見つめた。

「――お元気で。いつかパナマを離れた時は彼女の墓参りをさせてください」

儀式は終わった。

部屋の中で、短くなったロウソクの炎だけがチラチラと揺れている。

エドワードはそろそろと歩き出した。ふと顔を上げ、腕組みをして立っているクロードに話しかける。

「クロード、あなたの葉巻を利用して申し訳なかった。あなたが私を見張っているのかも知りたかったのでね」

クロードはぎくっとしたようにエドワードの顔を見た。エドワードはかすかに笑った。

啜《すす》り泣きをしながらマチルダが入口のところに立っていた。

エドワードは立ち止まり、じっとマチルダの顔を見ていた。

「さっきあなたの目を見て分かりました――彼女は二階ですね？　私を彼女のところに連れていっていただけますか？」

マチルダは真っ赤な目で何度も頷《うなず》いた。

「ええ。ええ、エドワード――あなたがエドワードだったなんて。私は――私はずっと嘘《うそ》だと思っていたの。母はここに来ればエドワードに会えると信じていました。母はもうずっと長いこと病気でした。パナマに行くなんてとんでもない。医者も親戚も大反対しました。父はもう数年前に他界しています。でも、一週間だけ。一週間だけいてエドワードに会えなかったら、帰る。母とそう約束したんです。けれど、何日経《た》っても現れる気配はない。ここに来るまでは気丈にしていたけれど、日に日に衰弱してしまって。もうあきらめようかと」

彼等はなんの話をしているのだろう。

全身が空っぽの布袋になったような気分だった。何もない。私には何も残されていない。空っぽの抜け殻。私は明日、パナマを去る。呪《のろ》われた土地、亡霊だけの土地、何もないこの土地を。

いつのまにか、他の客も食堂から姿を消していた。

私はゴトリとテーブルに拳銃《けんじゅう》を置き、崩れるように椅子《いす》に座り込んだ。

そっとクロードが近寄ってきて拳銃を取り上げ、私の肩を叩《たた》いた。

「一本いかがですか？」

きつい香りのする葉巻が差し出される。私はそっと受けとった。

クロードは自分も一本取り出すと火を点《つ》けた。

「私をパナマ警察に突き出しますか？」

「なぜ？　捜査は全て終わりました。私も明日あなたと同じ汽車に乗って本国に帰りますよ」

身体《からだ》のすみずみに葉巻の香りがしみとおっていく。

「え？　終わった？」

私が彼の顔を振り返ると、キッチンからムラートの子供がクロードのところに駆け寄ってきた。

クロードが耳を寄せると早口に囁《ささや》く。

「スミスさんたち、荷物まとめて裏口から出て行った」

「ありがとう。やっこさんたち、すたこら逃げ出したな。もう手配は済ませてるから大丈夫さ。二十人以上で道を塞《ふさ》いでるからね。袋のネズミさ。もうおやすみ」

クロードがチップを渡すと、子供は白い歯を見せて走り去った。

「じゃあ、スミス夫妻が」

「本当は夫妻ではなく従兄妹《いとこ》のようだがね。自分たちの同族会社にせっせと金を横流ししてたらしい。今ごろ道の向こうでつかまってますよ」

「それはよかった」

私は深いため息をついた。

「あなたのおかげですよ」

「え?」

「あなたが暴走する気配を見せたんで、私も勝負は今夜だと腹をくくったんです。このまますずるずる何日もいたらどうなっていたか」

「は、は」

私の唇から疲れた笑い声が漏れた。声はどんどん大きくなる。

私は顔を押さえ、肩を揺らして暫く笑い続けた。なんて滑稽《こっけい》なんだろう。なんて涙が出るほど苦い笑いなんだろう。パナマでの、そして人生における最後の笑い声。

クロードは私の隣でじっと黙って葉巻をくゆらせている。

階段を登って行く音が聞こえた。マチルダがノックをしている。彼女は泣いているようだった。

「ママ。ママの王子様を連れてきたわ」

くぐもった返事が聞こえる。ドアが開く。

そして、歓喜に震える、優しい、柔らかい声が聞こえた。こんな声は随分長い間聞いたことがない。かつて、遥《はる》かな昔、初めて愛を囁いた時の声。

「――エリザベス？　そこにいるのかい？　ずいぶん待たせて済まなかったね」

天球のハーモニー

The Harmony of the Spher

15

Design for the Stage Scenery for the Intermez
il L'Armonia Dellasfe
Bernardo Buontalenti (1536-160

プロムナード

一九七八年　ロンドン

いつのまにかうとうととしていたことに気付いて、エリザベス・ボウエンは自分の部屋の書き物机の上で目を覚ました。すっかり身体《からだ》が冷えている。積み上げた辞書や資料が机の隅に追いやられていたし、新聞の切抜きが頬の下でくしゃくしゃになっていた。

やれやれ、あたしの顔にウイーンフィルがプリントされているかもしれないわ。強張《こわば》った身体を伸ばす。

いけない、ついつい。ここのところ夜更《よふ》かしが続いてるものね。風邪なんかひいたら明日の取材にさしつかえる。神経質な指揮者なのに、鼻をぐすぐすさせてたら会ってくれやしないわ。

カーディガンをしっかりと羽織り直し、彼女は膝《ひざ》のブランケットをよけて椅子《いす》から立ち上がるとオイルヒーターの目盛りを上げた。窓に近付くと、顔に冷気を感じた。隙間《すきま》が空いているカーテンをぎゅっと引っ張る。窓の外に雪混じりの雨の気配がした。最近はずっとこんな天気だ。

もう十二月か。早いものだわ。カレンダーを見上げながら、一段と視力が落ちたことに気が付いて、眼鏡に手を伸ばす。

まだ百ページ近くもある。エリザベスはうんざりしながら欠伸《あくび》をした。でも、ただでさえ若い娘ということで軽く見られがちなのに、きちんと下調べをせずに、インタビューではらはらするのは願い下げだ。付け焼き刃なのは仕方無いが、出来る範囲内での努力はしておかなければ。

濃い紅茶が飲みたくなる。だが、この冷えこみでは魔法瓶のお湯も冷めてしまっているだろう。階下に降りてお湯を沸かすのは億劫《おっくう》だったが、どうしても熱いお茶が飲みたかった。でなければ、また数ページも読まないうちに居眠りしてしまうだろう。

扉を開けると、たちまち冷たい空気が流れこんできて全身が震え上がった。

予想以上に安普請《やすぶしん》のフラットだ。この空気にはどう贔屓目《ひいきめ》に見ても外気が隙間風として混ざっている。引っ越ししたいが、社も近いしこの値段は魅力だ。でもこれからの厳冬期のことを考えると、冷え性の彼女は憂鬱になる。窓のカーテンを二重にして、ドアのところにも隙間を覆《おお》うように厚いカーテンを下げたらどうかしら。あのすうすうする感じがなくなれば、かなり違うかもしれない。

やかんを火に掛け、ついでに煙草《たばこ》に火を点《つ》ける。他人がいるところで煙草を吸ったことがないので、彼女が煙草を吸うことを知っている者はいない。学生時代からの恋人のジョシュですら、彼女が煙草を吸うところを見たことはない。たいした本数を吸うわけではないので、部屋にも服にも匂《にお》いはつかない。皆、彼女は煙草を吸わない女だと思っているだろう。

エリザベスは階段に腰掛けてじっと煙草を吸っていた。煙草は彼女の一人だけの楽しみで、他人にその楽しみを見られるのは嫌だった。しかも、煙草を吸うのはゆっくり考えごとをしたい時に限られていた。

考えごと。彼女は気が付いていた。昼間掛かってきた電話が気になるのだ。

ネイサン教授の娘が掛けて寄越した電話は、奇妙なものだった。

あのう、つかぬことをお伺いしますが、父とは古いお知り合いなんですか？

質問している娘の方でも、雲をつかむような表情を浮かべている様子が、受話器を通して伝わってきた。

あれはどういう意味だったのだろう？

エリザベスは、あの端整で温和な教授の顔を思い浮かべる。

ネイサン教授が行方知れずだということはじわじわと噂《うわさ》になっていた。そのせいで、彼女の記事も発表の時期を待たされることになったのだ。

知っているはずがない。どうして私があの人と古い知り合いのはずがあるだろう？ 私の古い頃なんて言ったら、ほんの五年前でもアイスクリームを舐《な》め、髪の巻き方を覚えるのが人生のほとんどだったのだ。

私がものごころついた頃には教授はもう著名人だったし、初めて訪ねる時は緊張した。

知っているはずはない。

そう心の中で呟《つぶや》きながらも、彼女は自分の心がそれをどこかで疑っているのに気付いていた。

本当にそうだろうか？ はっきりと私はそう言い切れるのだろうか？

気に掛かることはいろいろあった。

あの古い書物に囲まれた部屋で彼が振り返った時に見せた表情。

彼女がノックして部屋に入っていっても、彼はじっと背中を向けたままだったので彼女は不安になった。間違った部屋に入ってしまったのだろうか？　それとも作業を中断され不愉快であることの意思表示なのだろうか？

だが、ゆっくりと彼が振り返った瞬間、そうではないとすぐに分かった。

やあ、エリザベス。

私は彼があまりに親しげな様子を見せるのに驚いた。まるで私のことをよく知っているみたいだった。だが、初対面の、しかも偉い人に親しげにされて嫌な感じはしない。むしろ私は救われたような気持ちになって思わず微笑《ほほえ》んだ。

はじめまして、先生。お目にかかれて光栄ですわ。エリザベス・ボウエンです。

彼はゆっくりと立ち上がって、じっと私を見ていた。それはほとんど感無量と言っていい表情だったと思うのだが、そんな表情を見せる理由がさっぱり思い付かなかったので、何か別の意味があるのかと私は必死に考えていたのだ。

思った通りだ。

小さく彼が呟くのを聞き、私は心の中で首をひねった。もしかして、私の評判を誰かから聞いていたのだろうか？　だとすると、少なくともその人物は私のことを悪くは言っていなかったらしい。それだけでもインタビューは成功するだろう。誰だか知らないが、とりあえずその人物に感謝しておこう、と考えた。

私の顔を見ていた教授は、何かに気付いたように小さく笑った。

ああ、そうだったね。きみは今日私に初めて出会ったんだね。

はあ、と私はあやふやな返事を返した。彼の言葉はよく考えると変だった。初めて『会う』のではなく『出会う』とは。

だが、実際私は彼に『出会った』のだった。正直に言おう、私はあの瞬間彼に魅了されていた。何十歳も年上で、初めて見た彼は、おじいさんと言ってもよい人だったけれど、とても美しかった。あんなに美しい、知性と感性が若々しくきらめいている男性にこれまで会ったことはない。申し訳ないが、大好きなジョシュがお馬鹿《ばか》さんに見えてしまう。

インタビューも素晴らしかった。生家の没落で一時はその日暮らしの労働者生活をしながら、苦学をして歴史を学んだという彼の話は淡々としていながら感動的で、素直にこちらの胸に沁《し》み入ってきた。

そして、彼は独り言のように奇妙な話を始めたのだった――

お湯が沸いた。

エリザベスはハッとしたように顔を上げ、ポットにお湯を注いだ。湯気の中に、ふとローズ・ティーの香りを嗅《か》いだような気がした。ネイサン教授が勧めてくれたあの柔らかなローズ・ティーの香りが。

週末、教授の家を訪ねてみよう。

唐突にその考えを思い付き、エリザベスは自分でびっくりした。

なぜ？　彼は行方不明なのに。家を訪ねても会えるわけではないのに。私が彼を訪ねる必要などこれっぽっちもないのに。

だが、彼女はポットと魔法瓶を持ってゆっくりと階段を登りながら、自分が週末にその思い付きを実行するであろうことを心の奥で確信していた。

天球のハーモニー

一六〇三年　ロンドン

白い鳩《はと》が一羽、抜けるような青空の中を飛んでいく。

その鳩の行方を目で追っているうちに、光の中で自分がどこにいるのか分からなくなった。ほんの短い、明るい無の中に彼女は立っている。

威厳に満ちた、しかし年老いた一人の女。

真珠色に輝くガウンを身にまとい、首には白い襟と宝石を巻いている。

女はそっと左右を見回し、自分が立っている場所を確かめようとした。

どこからともなく子供の歌声が聞こえてくる。


おまえの血は赤いだろう、白い鳩の血のように。

おまえも赤く血に染まるだろう、首を切られた白い鳩のように。

さあ、次は誰の番だろう？　誰が次の赤い鳩になるだろう？


耳の奥に無邪気な甲高い声が響く。女は慌《あわ》てて耳を塞《ふさ》ぐ。ああ、やめて、その唄《うた》を歌わないで。後生だからその唄を二度と私の前で歌わないで。その唄は嫌なの。目の前が真っ暗になる。胃の奥がぎゅっとつかまれたように苦しくなる。後ろで堅い扉が閉められる音が聞こえたような気がする。**お願い、その唄をやめて。**

彼女はふと、我に返った。

彼女は光に溢《あふ》れた中庭にいる。そして、太陽を遮っている自分の手の甲を見ていることに気付く。

明るい初秋の宮殿の中庭だ。柔らかな風には、キンモクセイの香りが混ざっている。彼女を脅《おびや》かすものは何もない。彼女はようやく、自分が過去の短い夢を見ていたことを理解する。細かい皺《しわ》とぼやけた茶色のしみに覆われた手の甲を、他人のもののように一瞬じっと凝視してからぱたりと膝の上に落とす。自分が空っぽの枯れた枝になったような気がする。

それでも、彼女の背筋はぴんと伸びている。決して椅子にもたれることはなく、いつも無意識のうちに伸ばしてきた背中は、高齢になってもしゃんとしていた。なんということだろう。ここまで来てもまだ子供の頃の悪夢を見るというのか。私はもうあの呪縛《じゅばく》から解き放たれたはずではなかったか。

風は暖かく、小鳥の囀《さえず》る声は音楽のように中庭の中空を漂っている。

彼女はゆっくりと中庭の石畳の上を歩いていく。

誰もいなかった。みんなどこへ行ってしまったのだろう。いつもくどいほどにまとわりついている侍女《じじょ》たち、慇懃《いんぎん》に頭を下げ続けている騎士たちは。

徹底した情報管理は彼女の第二の本能になっていた。口に出さなければ、誰も知ることはない。書き残さなければ、誰も証拠を見つけることはない。そのようにしてこれまでの人生を彼女は辛くも生き延びてきた。多くのお付きが彼女自ら厳選した信用の置ける者たちであっても、宮殿内には常に貴族たちの目や耳が、様々な手段で彼女の動向を探ろうと待ち受けている。彼女が口にしたこと、サインしたことはたちまち闇《やみ》深く、遥《はる》かスコットランドの諸侯にまでも漏れ出していく。かといって、人を遠ざけ、一人になることは別の危険を意味していた。暗殺や謀反《むほん》の危機は、これまで表面化したものしないもの、今も水面下で蠢《うごめ》いているものなど数限り無い。国内のみならずドーヴァー海峡を越えたところでも、複雑な思惑《おもわく》は微妙に絡《から》み合って現在も続いている。それらを幼時から培《つちか》われた知略と驚異的な精神力で乗り越えてきた彼女だが、それでもこの古い小さな中庭でほんの数分一人で歩き回る時間は何物にも替えがたい、どうしても必要な時間なのだった。

なぜこの何もない庭が好きなのかは自分でも分からなかった。ちっぽけな涸《か》れた噴水、不格好に伸びた野生のバラの繁《しげ》み、小さな一角獣の石像。噴水に水を流させましょうかと誰かが申し出たこともあったが、彼女はそれを断った。このままがいいのだ、というと皆がきょとんと顔を見合わせるのが分かった。

誰にも手を触れられることなく、忘れられ朽ち果てていく一角獣。ひび割れ苔《こけ》に覆われるがままの噴水。剪定《せんてい》もされず自然の相《すがた》で開いては散る花。無為なそれらが彼女には好ましかった。それに、誰も顧みない古い庭に手を入れるような余裕は、今の国庫にはない。

これまで一度たりとも自分で自分のために花を生けたことなどなかった。

彼女はそんなことを考えながらゆっくりと涸れた噴水に向かって歩いていく。

花は威厳の象徴。演出の小道具。確かに自分を美しくは見せたけれど、それは全《すべ》て武器でしかなかった。花だけではない。豪奢《ごうしゃ》な衣装も、流れるような髪も、華やかな笑顔も全ては生き延びるための手段に過ぎない。人々の賞賛も人気も、自分が生かされる正当な理由の一つ。

「――それでよいのですか、陛下」

突然、静かな声が耳に飛び込んできて、彼女はハッと振り返る。

中庭を囲む暗い回廊の隅に誰かが跪《ひざまず》いていた。黒髪のがっしりした男。

「そこにいるのは誰？」

思わず鋭い声になる。そうそう使う声ではないが、ぴしりと空気を震わせ、周りの者をひれ伏させる声だ。

「私をお忘れですか？」

男は動じる様子もなく、じっとその場にうずくまっている。

彼女は怪訝《けげん》そうな表情になり、暫《しばら》くその男を見つめたまま考えてみる。確かにどこかで聞いたような声なのだが、その主が思い出せない。ロバート・ケアリーは今日は留守にしているはずなのだが。

男は顔を上げ、こちらに視線を向けた。だが、その表情はよく分からなかった。顔の上半分を覆う小さな仮面を付けていたからだ。

彼女は思わず笑い声を立てていた。

「ロバート。壮行試合はどうしたの？　やっぱりまだここにいたのね。そんな子供じみた真似《まね》を」

思わず近寄っていくが、男はぴくりとも表情を変えずにこちらを見上げている。

彼女はピタリと足を止めた。男が放つひんやりとした空気に警戒心が頭をもたげる。

刺客？

「おのれ、誰か！　侵入者がここに！　即刻捕らえよ！」

声を張り上げた瞬間、男はスッと手を上げてそれを静かに制した。

「誤解なさらぬよう。私はあなたの古い友人です」

その声の調子に、なぜか彼女はたじろいだ。

そうだ。私は確かにこの男を知っている。はて、どこでだったろう。猜疑心《さいぎしん》と強欲にいつも目をぎらぎらさせている、有力な貴族たちの家族に、このようなまともそうな男がいただろうか。

彼女の叫び声を聞き留めた者はいないようだった。回廊の奥も、風の流れていく空も、しんと静まり返ったままである。おおごとにならなくて良かったと思うのと同時に、やはりこの中庭は危険だ、いざという時に声が侍女たちまで届かないと考えていた。

「ご心配なく。決して危害を加えるつもりはございません」

男は彼女の心を読んだように、相変わらず涼しい声で呟いた。彼女は不思議そうに男を見つめる。

「何か直訴を？　それとも誰かの告発。仮面はそのためなのか」

男はかすかに笑ったようだった。どこか淋《さび》しい、哀れむような笑み。その笑みが気に障《さわ》ったが、好奇心の方が勝っていた。

「直訴——そうですね、そうとっていただいて結構です。しばし、私に時間をお恵みください。私の話を聞いてください。それだけが私の望みです」

おかしな男だ。

彼女は自分よりも遥かに若いその男を、奇妙な目付きで見下ろした。

「まだ名乗らぬのか？」

「いずれ分かります。ご辛抱を」

男はスッと立上がり、回廊を先に立って歩き出した。

「何処《どこ》へ？」

「お見せしたいものがございます」

いつのまにか男の数歩後ろを歩いていた。暗がりにカツカツと低く足音を立てて進んで行く男の背中がうっすらと浮かんでいる。ここで振り返り、切りつけられたらどうなるだろう。距離を目で測りながら、彼女は別にこの男に切りつけられても構わないという気分になっていることに気付いた。

暗い回廊。天井に谺《こだま》する足音。黴《か》びた空気の匂《にお》い。私はずっとこの暗がりを手探りで怯《おび》えながら歩いてきたのだ。

足元をすっと何かが転がっていく。糸を巻き付けた毬《まり》。回廊の柱の陰から、その毬を追ってサッと幼い男の子が飛び出した。彼女は目を見開く。

まあ、あれは。あの小さな男の子は。

廊下の奥で、男の子は彼女に気付いたようにこちらを振り返った。小さな青い目がじっとこちらを見ている。

『エリザベス、そこにいるの？』

ええ、ええ、ここよ、私の小さな弟。誰よりも望まれて生まれてきた弟、父上が待ち望んでいた弟、そのために幾人もの女たちの血が流された弟よ。

『石蹴《け》りしようよ』

ええ、いいわよ。あたしたち、あの日も二人で遊んだわね。あなたの洗礼の日、私があなたの衣装を捧《ささ》げ持って進んだあの日も。

地面に線が引いてある。イングランド、スコットランド、アイルランド、イスパニア、ヴァージニア、国外追放、王、ロンドン塔、裁判、死。たどたどしい子供の字で、線に囲まれたわずかな空間に刻みこまれている。少年に蹴られた石が、コツッという音を立てて『死』の箇所で止まる。

『**おまえの番だ！**』

少年は歯をむき出し、それまでの天使のような表情を激変させて叫ぶ。彼女は両手で顔を覆《おお》う。違う。違う。あたしじゃない。あたしはまだ生きている。メアリ義姉《ねえ》さんだってまだ生きている。先にお義姉さんを玉座につけてちょうだい。あたしはそれだけが望みなの。あたしは何もいらない。ただ生かしておいてさえくれれば。ただいつまでもそっとしておいてくれれば何もいらない。ジェインのようにタワー・ヒルに引き出されるのは嫌。目隠しをされ、あの堅い処刑場に膝《ひざ》をつかされるのだけは嫌。ジェイン、あのひとはなぜあんなに落ち着いていられたのだろう。御輿《みこし》に乗せられ、本人の意思に反してかつぎあげられた上に、たった九日間の玉座を失い、反逆者としてタワー・ヒルに送られたのに。

従容《しょうよう》として死地につく。

教師の言葉が思い出される。その言葉は幼い自分には納得がいかなかった。なぜ？　どうして望んで死ななければならないのですか？　そのひとに何の責任もないじゃありませんか。

いつか分かる日が来ます、と教師は言った。

死は必ずしも不名誉で悲惨なものではありません。時にはそれが解放であり、勝利であることも有り得るのです。

「あなたはそうは思わないのですね？」

急に耳元で声がしたので彼女は両手で覆っていた顔を上げる。そこはやはり暗い回廊で、いつのまにか男は彼女の隣をひっそりと並んで歩いているのだった。

「そこにいたのね。てっきりもうどこかへ行ってしまったのかと」

彼女はかすれた声で弱々しく呟《つぶや》いた。男は小さく首を振った。

「私はどこへも行きませんよ。あなたと話がしたいだけです」

「話を」

彼女はぼんやりと繰り返す。話。とりとめもない話など、どうやってすればいいのか分からなかった。謀略と駆け引き、譲歩と脅し。押して、引いて、宥《なだ》めて、懇願して、裏をかく。そんな生活の中に、とりとめもない会話など存在したのだろうか。

「あなたは死を恐れていますか？」

男は静かに尋ねた。彼女はぼんやりと前を見る。回廊の正面に、ぽっかり開けた楕《だ》円《えん》形の光が見えた。

「いえ」

彼女は短く答えた。

「今では教師の言葉の意味も分かる。確かに、死は安息であり、解放であると納得できる。けれど、うまく死ぬのは本当に難しい。言い換えれば、うまく死ねなかった者たちは本当に不幸だ。棺《ひつぎ》の蓋《ふた》を覆う時に全ての評価が決まってしまう。だが、私は絶対にうまく死ななければならない。失敗は許されない。私は後に残された者たちのことを考えねばならない。この国のことも。教会のことも。海の向こうのことも」

くぐもった声を遮るように、光の中に笑い声が聞こえた。

大きな男が赤ん坊を抱き上げて頬擦《ほおず》りしている。きゃっきゃっと赤ん坊が声を上げて笑っている。男も満面の笑みを湛《たた》え、歓喜に満ちた叫びを漏らす。

あれは父上。

『エリザベスも参列してくれるな？　可愛《かわい》い弟のために。エリザベスも一緒にキャサリンの薫陶《くんとう》を受けるがよい。さあ、一緒に。弟のために』

弟のために。弟のために。それでも彼女は恍惚《こうこつ》となった。あの頃の父上はなんと立派だったことだろう。大柄な身体《からだ》に自信に溢《あふ》れた目、ふさふさとした髪に男らしい髭《ひげ》。

父上の輪郭が光にふちどられている。

ええ、喜んで。

そう言おうと口を開けた瞬間、後ろから誰かに激しく肩をつかまれた。

ぎょっとして振り向くと、髪を振り乱し、充血した目をぎらぎらさせた女がむしゃぶりついてくる。

『お慈悲を！　お慈悲を！　お願いよあなた』

彼女は悲鳴を上げてその女を振り払った。女はよろよろと転げるように光の中にいる父上の影に向かって駆けてゆく。父上は赤ん坊を抱いたまま、背を向けてすうっと遠ざかっていった。

『お慈悲を！』

彼女は壁に背をつけ、全身をわなわなと震わせながらその後ろ姿を見送っていた。キャサリン・ハワード。王に不貞を働いた不道徳な王妃《おうひ》。だが、その面影はもう微《み》塵《じん》もなかった。必死に命乞《いのちご》いをする、グールのようにやつれ果てた一人の女。固唾《かたず》を呑《の》んで見守っている彼女の脇《わき》を、武装した男たちが重い足音を響かせて黒い風のように通り過ぎていく。キャサリンを追っているのだ。

回廊の奥の光がふっと消え、闇の奥でぎゃあーっという断末魔の悲鳴が聞こえた。

彼女は壁に背中を押しつけて耳を塞《ふさ》ぐ。

悲鳴は長く、絞り出すようにいつまでも続いた。

「――陛下？」

気が付くと、彼女はやはり暗い回廊を男と肩を並べて歩いているのだった。

「ああ」

彼女は呻《うめ》くように男を見た。男はキンモクセイの香りがした。懐《なつ》かしい香り。塔の中にいる時も、この香りだけは彼女を裏切らずに漂ってきた。

二人の低い足音が重なりあって共鳴していた。

「おまえは何か、まやかしを使っているの？」

彼女はふと思い付いて男にそう尋ねてみた。男は横顔でかすかに笑った。

「私にはそんな力はありません、陛下。力を使っているのはあなたなのですよ」

彼女は乾いた声で笑った。

「私？　私に力なぞないわ。あるとすればこのやたらと重いくせに何の役にも立たぬ肩書きだけ。しかも、この肩書きの持つ力など不確かな幻想でしかないのに、誰もが血眼《ちまなこ》で欲しがっている。本当に馬鹿《ばか》な連中」

男は真面目《まじめ》な顔で口を開いた。

「あなたは聡明な方です。大変苦労なさったと聞いています。さぞかし、お若い頃から血の滲《にじ》むような努力をされたのでしょう」

男は独り言のように言った。彼女は更に声を立てて笑った。萎《な》えていた心が少し軽くなったような気がした。

「努力。そうね、いい言葉だわ。確かに、私には努力する才能はあったかもしれない。でも、それは全《すべ》て義母キャサリン・パーのおかげ。あの人に出会えて私は幸運だった――彼女にはもっと長生きして欲しかった」

彼女は自分の口調が少しずつ柔らかくなっていくのに気付く。娘時代のような、華やいだ軽やかな口調に。

「素晴らしい方だったようですね。確か、死産されてそのまま亡《な》くなったとか」

「ええ。衝撃だったわ。まさか彼女がお産で亡くなるなんて、夢にも思わなかった。義母が女であることが彼女を死に至らしめるなんて」

「伴侶《はんりょ》を持たなかったのは、それも一因だったのですか」

彼女はクスリと笑って悪戯《いたずら》っぽい目で隣の男に目をやった。

「おかしな男。まるで学者のようね――先生と呼ぶべきかしら」

「そうですね。私はどちらかと言えばそういう種族に属するでしょう。陛下のことも書物で知っていた程度ですから」

男はちょっとだけ考えてから答えた。彼女は首をかしげる。

「書物？　私のことを？」

「女であることを後悔されているのですか」

彼女の疑問にはとりあわずに、男は重ねて尋ねる。

彼女は前を向いて考えながら歩く。

正面から、柔らかい風が吹いてくる。おや、この匂いはなんだろう。

回廊の出口が唐突に開けた。

「おお」

彼女は娘のように両腕を広げて喚声を上げる。

澄んだ青空のもとに、紫色の丘が続いている。陽光を謳歌《おうか》する林。木洩《こも》れ日がちらちらと光の網を揺らしている。うすむらさきのヒースが放つ香りを彼女は胸いっぱいに吸い込む。

「嬉《うれ》しいわ。もう一度イングランドの春を見られるなんて。いえ、初めてだわ。こうして春の野原を駆けるなんて」

真珠色のガウンがいつもより軽く感じられた。光が顔に暖かい。

「覚えておられませんか、陛下」

うすむらさきの草の海を走る彼女の耳元で囁《ささや》き声が聞こえる。彼女は高揚感でいっぱいになり、息を切らしながら機嫌よく答える。

「何を？」

「私たちのことです」

「私たちって誰？」

「かつてお会いしていますね」

「どこで？」

「時のはざまに。あなたの夢の中で」

「私の夢？」

二人は草の海をかきわけ、丘を登ってゆく。オークの古木を突き刺す太陽の矢が目を射る。真っ白になる。明るい無。その無の中に彼女は何かを見たような気がする。だが、それが何なのかは分からない。

オークの根元にようやく辿《たど》りつき、溜《た》め息をついて堅いその木肌に触れる。木の周りを回って。木を巡って私たちは出会う。

荒い呼吸を整えながら、木にもたれかかっている彼女の手に、木の幹の反対側を回ってきた、仮面を付けた男がその手を重ねる。逆光になっているため、彼の表情は全く見えない。

「思い出しませんか」

「何を？」

「私たちはこうして木の下でも会いました。短い春に。二重の虹《にじ》の下で。あなたは美しかった。女神のようだった。あなたが虹の下を駆けてくる瞬間を思い出すと、私は今でも胸が震える」

「女神のように。そんなふうに褒《ほ》められる娘が羨《うらや》ましい。私は王であっても女神ではなかった」

「いえ、それはあなたのことです」

「知らないわ」

彼女は興味を失ったように、髪飾りを外しながら光の下に歩き出る。ヒバリが鳴いている。空の高いところで春を歌っている。

風になびく髪が、ずっしりと頭に重く、手触りが艶《つや》やかなことを彼女は不審に思う。目の前に流れてくる髪は、たっぷりと水分を含み掌《てのひら》に重い。輝くばかりの金髪。見慣れているはずの、痩《や》せた黄色い髪ではない。生命《いのち》が内側からきらめいている。しげしげと髪の毛を観察したあとで、彼女は自分の手にも気が付く。しみ一つない、つるりとした陶器のような手の甲。これは誰？

『エリザベス！』

丘の向こうから懐かしい声が響いてくる。

はぁい。

娘となった彼女が振り返り、声に向かっていっしんに駆けていく。

きちんと髪を結《ゆ》い上げ、身体の前で手を組んだキャサリン・パーが彼女を呼んでいる。

『エリザベス、フランス語の先生がいらっしゃいましたよ』

今行きます。少し気取って答えながらも、やがて彼女の胸に、目の前にキャサリン・パーがいるという喜びが膨《ふく》らむ。彼女は足を早める。キャサリン・パーの顔にも慈愛に満ちた笑みが広がる。彼女はこの顔が好きだ。思慮深く、思いやりに満ちたこの笑顔。それまで彼女が知っている女性の中には見いだし得なかった顔。彼女はキャサリン・パーの腕に飛び込む。自分の背中に回された腕に込められる力に、痺《しび》れるような喜びを感じる。

『エリザベス、知識はあなたの助けとなるでしょう。語学はあなたを守ってくれるでしょう。エリザベス、私たちは弱い。けれど、周りをよく見て考えることはできる。たとえ幼くても自分を守る方法を考えることは可能なのです』

ええ、ええ。よく分かっています。あなたのおかげで私は今日まで生きることができました。お父さまよりも、可愛い弟よりも、義姉《あね》よりも、あなたよりも、誰よりも長く。ありがとうございます。お義母《かあ》さま。ほんとうに、ありがとうございます。

ふと、彼女は背中に回された手から力が抜けるのを感じとる。同時に、義母と自分の間に何かが膨らんでいくのに気が付く。義母のおなかがどんどん大きくなっていくのだ。

お義母さま！

彼女は声を限りに叫ぶ。大きくなる義母のおなかは彼女を義母から遠ざけていく。

『エリザベス』

義母が遥《はる》か彼方《かなた》で弱々しく手を差し延べている。その目は落ち窪《くぼ》み、いつも凛《りん》としていた表情はやつれ、何度も吐いたのか唇は苦痛に歪《ゆが》み顎《あご》は吐《と》瀉物《しゃぶつ》で汚れている。

突然、ぐしゃりという音がして、義母のおなかが弾《はじ》ける。血と内臓が飛び散る。飛び散った分泌物《ぶんぴつ》にまみれて横たわっているのは巨大な胎児だ――いや、そうではない。白い一角獣の死体が血にまみれて倒れている――と、目の前で立ち上がる。ぶるんぶるんと全身を震わせ、身体にからみついている血と臓物を吹き飛ばす。たちまち輝くような銀色の獣となって、丘の上を駆け登って行く。

待って！

彼女はその神々《こうごう》しい生き物を追いかけていく。と、足に何かが引っ掛かって躓《つまず》く。

見ると、切られた生首が足元に転がっている。

ひっ、と声にならない悲鳴を上げて飛びのくと、くるりと顔がこちらを向いて目をぱちぱちさせた。青ざめた顔。母だ。彼女の生みの親、アン・ブーリン。

『エリザベス、なぜなの？　なぜ生涯一人きりなどという馬鹿なことを。あたしを御覧。こんなになってしまったけどあたしは幸せよ。あたしはヘンリーの妻ですもの。

あんたを産んだんですもの。それ以外にあたしたちに何の役目があるというのよ？　あんたも産むのよ、世継ぎを。あたしたちを支配する男を。そして、各国に散らばって次の出番を今か今かと待っている他の薄汚い赤ん坊を食い殺してでも、その子供を王位につけるのよ。これ以上の喜びがどこにあるというの。ええ？　さあ、やつらの喉笛《のどぶえ》に食らいつくんだ。あいつらを殺せ。あんたの子供を王位から遠ざける連中を、一人残らずくびり殺してやるんだ！』

アンは見る見るうちに恐ろしい形相《ぎょうそう》となり、唾《つば》を飛ばし、声を限りに彼女に向かって罵《のの》しる。彼女は冷たい汗を流し、おぞましさに震えながら後退《あとずさ》りをする。

嫌よ。嫌。殺すのはもう嫌。殺されるのも嫌なの。

『嘘《うそ》おっしゃい』

どんと背中に何かが当たる。

『よく言うわよ。あんただっていとこを殺したじゃないの。教会の連中はどうなの？　冗談も休み休み言いなさいよ』

毒々しい声が頭上から降ってくる。

彼女は惚《ほう》けた表情でそっと上を見上げる。

そこには『ブラディ・メアリ』が立っている。文字通り、全身血まみれで、頭のてっぺんから流れ出してくる血で顔も真っ赤だ。

メアリ義姉《ねえ》さん。

彼女は思わず指を組み、メアリに向かって祈るように跪《ひざまず》く。

できればあなたには生きていて欲しかった。こんな役目は引き受けたくなかった。

『何がこんな役目は引き受けたくなかった、よ。あんたが先にあたしの王位継承に承諾したのだって、あたしを失脚させてそのあとで華々しく登場しようって魂胆《こんたん》だったくせに』

違う。違うわ。

『あんたの母親のせいで、あたしの母はお父さまから追われたんだわ。ひっそり淋《さび》しく死んでいった。何も悪いことなどしていなかったのに』

あたしの母親とどこが違うというの。あなたの母親は生涯をまっとうできたじゃないの。あたしの母はお父さまに処刑されたのよ。あたしの母を恨むのはお門違いだわ。恨むならお父さまを恨めばいい。

メアリの顔が怒りに激しく歪んだ。

『なんてことを言うの、あの優しいお父さまに向かって。イングランドの王に向かって、よくもまあ、そんな恐ろしい口がきけるわね』

『その子は分かってないのよ、あたしたちの役目を』

地面に転がっているアンの口がぱくぱくと動く。

『ふふん、何よ、いつもお上品にお高く止まって誰にも指一本触れさせないってわけ？　美しいから？　賢いから？　とんだお笑い種《ぐさ》だわ、そんなに長いこと玉座にしがみついていて跡継ぎ一人作れないなんて。あんた、感じないんでしょう？　感じたこともないんじゃないの？』

彼女は苦笑する。

だからなに？　彼女は二人の顔を交互に見つめる。

感じる感じないがどうしたというの。それが何だというのよ。ほんのひととき、汗を流してぐっすり眠れるだけのことじゃないの。そのひとときのために、あんたたちは何を売り渡したの。自分のおなかを道具として提供し、血まみれの争いに一枚嚙《か》んだだけじゃないの。災いの種を撒《ま》き散らし、新たな紛争の材料を作り出しただけじゃないの。

メアリの目に悔し涙が浮かんだ。

『あんたなんかにあたしの気持ちが分かるもんか。あたしにどうしろというの。あんたとあたしにいったいどれだけの違いがあるというのよ。同じじゃないの。しょせん血まみれのページの一つ、捨て駒《ごま》の一つじゃない。自分の母を追わせた女を母親に持つ娘を許してどうなるというの。それがあたしを救ってくれるというの。あんたを憎むこと、あんたを追い落とすこと。あたしの正当な王位継承権を追求すること。それだけがあたしに与えられた役割。あたしの生きるようすが。そのあたしの気持ちがあんたに分かってたまるもんか』

彼女は叫ぶ。

じゃあ、あたしの気持ちが分かるというの？　たった一人で何の後ろ盾もなく生きてきたあたしのことを？　いつ後ろから刺されるか、毒を盛られるかと神経をすり減らしながら、言質《げんち》を取られまいと言葉遣いに敏感になる毎日を？　王冠の重さを、数千の視線に耐えるつらさを？

『でも』

地面のアンが吐き捨てるように呟《つぶや》いた。

『あんたが今は王だわ』

『王だわ』

呟くようにメアリが繰り返す。

『それでも王よ』

『血にまみれても』

『どんな手を使ってでも』

『王なのよ』

ぶつぶつと泡のように繰り返される呟きに耳を塞《ふさ》ぎ、目をつむる。

頭の中が熱く、真っ赤に燃えている。どくどくと心臓が激しく波打つ。

「陛下」

彼女は再びハッと目を開ける。

男が心配そうにこちらを見下ろしている。まだ仮面は付けているけれども、彼が彼女を心配しているのが伝わってくる。

「泣いているのですか」

「いいえ」

彼女は低く答える。

実際、彼女の頰も瞳《ひとみ》も乾いたままだ。明るい春の陽射《ひざ》しの中で、若く美しい彼女はのろのろと丘を登っている。隣に寄り添う男も、いつのまにか、さっき回廊で出会った時よりも若返っているように見える。ヒバリの歌が遠い空を走る。

「もう一度きいてもいいでしょうか。あなたは女に生まれたことを後悔しているのですか」

彼女はじっと前を向いたまま歩いている。

「後悔って何のこと？」

彼女は男を見つめる。この上なく醒《さ》めた目。そしてどこかあきらめたような目で。

男は考える。

「過去を振り返ることでしょう」

「私にはそんな時間はなかったわ。後悔する暇など。でも私は私のことを後悔してはいない。もし振り返ろうと考えたならその瞬間に、考えたとおり振り向いたならそのとたんに、私は塩の柱になって崩れ落ちていたに違いないわ」

「ロトの妻ですね」

「ええ」

風が丘を吹き抜け、うすむらさきの草の海を揺らす。

「あなたは孤独なのですか」

男がぽつりと尋ねる。不安そうな声で。

「なぜそんなことをきくの。私が孤独に見えて？」

「ええ、なんとなく」

「どうなの、あなたの話によると、あなたは何度も私と出会ったのでしょう？　いつも私は孤独に見えて？」

「いいえ。そんなことはありませんでした」

「そう。よかったわ」

「でも、今のあなたは孤独に見えます」

それは正しい、と彼女は思った。今こうしてこの見知らぬ男、見知らぬ美しい男と並んで歩いていても私は一人きりだ。そもそも、一国の王が孤独でないことなどあるはずがない。一国の王でなくともだ。彼女の心には諦観《ていかん》があった。

「あなたはどうなの。孤独な私と歩いているあなたは孤独ではないの」

「私は孤独ではありません」

「なぜ」

「知りたいですか」

「ええ」

丘を越えると、森の向こうに古い城が見えた。

あら、あんなところにお城が。

彼女は目を細めて城を見つめる。見たことがあるお城。随分昔、確かに訪れたことのあるお城だ。

空が透き通ってきた。心のどこかがざわめく。身体《からだ》のどこかにしまいこんでいた感情が泡立つ。

「なぜならば、私はあなたの一部だから。だから私は孤独ではない」

彼女は驚いて隣の男を見つめる。そして、改めて考える。この男は何者なのだろう。なぜあの回廊で私を待っていたのだろう。

「あなたは誰なの？」

「覚えていませんか」

「ごめんなさい。分からないわ。どこで会ったのかしら」

ドン、ドン。

突然、おなかに響く賑《にぎ》やかな音がして、空に花火が上がった。いつの間にか日が暮れてきていた。ざわざわと群衆の気配がする。華やかなざわめき。グラスの触れあう音。窓から漏れだしてくる音楽。

彼女は周囲を見回す。極彩色の着飾った客たちが花火の光に切れ切れに浮かび上がる。

次々と打ち上げられる花火。客たちの顔を覆《おお》う様々な仮面。かつらに手袋。外套《がいとう》に帽子。

彼女は不意に記憶が蘇《よみがえ》るのを感じる。

なぜ忘れていたのだろう。

夜空の花火がゆっくりと闇《やみ》の中を流れ落ちていく。

ケニルワース城だ。かつて、ロバート・ダドリーが私を招いてくれた夜。今はもういない彼が。

不夜城のような花火が空を覆い、丘のあちこちから客たちが、蜜《みつ》にたかる蟻《あり》のように集まってくる。

どうして忘れていたのだろう、この夢のような夜を。もしかすると、あの仮面舞踏会そのものが夢だったのかもしれない。当時、私は四十二歳だった（はずだ）。

彼女は自分の顔が、花火の光にまだらになっているのを感じる。

城の中はオレンジ色の明かりに満ちていた。猥雑《わいざつ》で饒舌《じょうぜつ》なエネルギーが天井に、壁に谺《こだま》する。

大広間ではぎっしりと入った客たちが踊っていた。仮面を付けた客たちがぐるぐるとロウソクの炎に照らされて星のように広間を回っている。その動きにつられて、複雑な模様の影が壁に伸び縮みして、女たちの装飾品がきらきらと輝いている。

彼女はその中に紛れて、雑然とした広間を泳ぐように横切っていく。探さなくては、彼を。かつて誰よりも愛していたロバートを。すっかり忘れていた彼を。

歩いていくうちに、分厚いカーテンの内側から手が伸びて、あっという間に引っ張りこまれた。

ロバート？

小さく叫ぶと、カーテンの陰に、唇に人差し指を当てる人懐《なつ》っこいロバートの顔があった。二人は見つめあって微笑《ほほえ》み、くちづけを交わす。

二人は広間の客たちの海に漕《こ》ぎいでて、大きな円運動に加わる。影が伸び縮みして、幾千ものロウソクの炎がちらちらと揺れる。二人はくるりくるりと回り続ける。永遠に円周運動を繰り返す。笑い声と喚声。ロバートの笑顔が回り、彼女の笑顔も回る。円運動は続く。ざわめきが少しずつ遠ざかってゆく。

「彼を愛していたのですか？」

彼女は、空っぽの広間で仮面を付けた若い男とくるくる回っていたことに気付く。

広間の四隅に大きなロウソクが点《とも》されているが、広間全体をとうてい照らし出すことはできずに、薄暗い広間に二人の影が躍っている。

「ええ。愛していたわ」

「なぜ添いとげられなかったのです」

「当時の状況では無理だわ。あなたには私たちの婚姻関係がどういうものか分かっていないのよ。婚姻は権力闘争の一手段にしか過ぎない。彼を愛していようがいまいが、望むと望まざるとにかかわらず血みどろの権力闘争に巻き込まれるだけ。必要とあらば紙切れや外国や教会を持ち出してきて、離婚の理由だろうが重婚の中立だろうが目的さえ達成できるのであれば、何でもありの世界なのよ」

「そのようですね」

音楽もざわめきも今はもう聞こえない。広間の気温はどんどん下がっていく。

二人は動きを止めた。

「どうぞこちらへ」

男は彼女の手を取って広間の奥へ連れていく。

「今度は何を見せてくれるのかしら」

彼女はもはや楽しむ余裕を見せている。この男が魔法を使って自分に何かを見せようとしているのは確かなのだ。

広間の奥に、ぽつんと二つの椅子《いす》が置かれていた。彼女はその一つに腰掛けた。

ぱっと明かりが点る。広間の正面に、舞台があった。赤い幕がぼんやりと浮かびあがる。

「あらまあ、お芝居でも見せようというの。今話題のシェイクスピアとやらを？」

舞台の前に立っている男が「ああ」と声を上げて頷《うなず》いた。

「なるほど。そうか、この頃に四大悲劇が成立しているわけだ」

「えっ、なあに？」

「いいえ、なんでもありません。あなたは御覧になりましたか？」

「見てはいないけれど、噂《うわさ》は聞いてるし、だいたいの見当はつくわ。でも、あれは一人で書いたものじゃないわね――誰か一人、恐らくあたしたちの近くにいる大物が中心になって筋立てを書き細かい醜聞を洩《も》らした上で、複数の人間が工房のようなものを作って書いてるんでしょうね。あの内容は、一介の役者ごときが手に入れられる醜聞ではないわ」

「ほう。陛下はさすがご賢察でいらっしゃる。後世の説にもそういうのがあるようです」

男は感心するような表情を見せたが、彼女にはその意味がよく分からない。彼女は男の話の意味などどうでもいいように、子供のような無邪気な目で舞台を見つめている。その幕の向こうに何があるのかが気になるようだ。

「早く始めてちょうだい。その向こうに何があるの？」

「御覧になりたいですか」

「ええ。じらさないで」

「時の内側が」

「どういう意味？」

「文字どおりです」

さあっと幕が左右に割れて、辺りが明るくなった。さらに舞台の上は見る見るうちに白く輝いていく。すごい。いったい何の明かりを使っているのだろう。

彼女は興奮していた。

高い天井や舞台の両はじに、ずらりと衣装を付けた人々が並んでいる。なんという衣装だろう――どこかオリエンタルな、くるぶしをむきだしにした衣装だ。

中空にもぼんやりと誰かの影が浮かんでいた。宙吊《ちゅうづ》りになっているのだろうか。それとも、何かを積み上げた上に乗っているのか。

もくもくと虹色《にじいろ》の雲が、なまめかしく色を変えて輝き、舞台から流れだしてくるのに彼女は圧倒されていた。なんという仕掛けだろう。

舞台から風が吹いてきた。びょうびょうと吹き出してくる風は、雲を揺らし、人形のようにポーズを付けて立ち尽くしている人々の衣装の裾《すそ》を揺らしている。

分厚いコーラスが天井から降ってくる。それはまさに音の壁のようだった。完璧《かんぺき》な音程の声の束に、彼女は鳥肌が立った。ぞっとするような快感。身体の中心に電流が走る。

「すごいわ。どういう仕掛けなの」

「十数年前にフィレンツェの結婚式で行われた幕間劇《まくあいげき》です。演出はベルナルド・ブオンタレンティ」

「ああ。『花火屋ベルナルド』ね」

「ええ。フェルディナンド一世の結婚式で」

「なるほど。道理で、派手でグロテスクだわ。いったいこれはなんの象徴なの？　あたしはマニエリスムは嫌いなのよ」

「あなたらしい。でも、よく御覧なさい。これはあなたなのですよ」

いつの間にか隣の椅子に男は腰掛けていた。そっと耳元に唇を寄せて呟《つぶや》く。

彼女は興奮した頭で舞台の隅々に視線を送る。逞《たくま》しい男たちが彫像のように立ち、雲は次々と奥から溢《あふ》れ出してきて尽きる様子もない。そして、この風。天井近くでは、稲光のような赤や青の光がちらちらと瞬《また》いていた。その一瞬の光が、中空にたたずみ、大きな斧《おの》を手にした大男を時折デッサンのように白く黒く照らし出す。

不安な閃光《せんこう》。嵐《あらし》の前触れ。それとも嵐のあとなのだろうか。

彼女は頬に受ける風を感じながら考える。

フィレンツェ。全盛期を過ぎた老女のような都。それはまるで私のよう。中心はローマへと移り、メディチ家の威光も既にない。あれだけの隆盛を誇った絢爛《けんらん》な文化も、時のうつろいには勝つことはできなかった。今、時代の中心は中欧へ移りつつある。

ゆっくりと色あせた何かが崩れてゆく。

ふと、虚脱感が彼女の全身を襲う。そう——全《すべ》てはうつろうのだ。どうあがいても運命はもう決まっている。

神々《こうごう》しいコーラスが彼女を包む。その圧力が、苦痛に思えてくる。神々が彼女を責めているようにすら感じる。おまえが滅びの鐘を鳴らし始めているのだと咎《とが》めているような気がするのだ。

「なぜ？　なぜそんな罪の意識を覚えるのです？　あなたは並ぶ者のない英雄だ」

「やめて。そんなたわごとを」

彼女は顔をそらし唇を歪《ゆが》める。

「私は誰のことも考えていない。国民のことなど一度も。家族のことだって。自分の手を汚さなければ何でもよかったのよ。自分が生き延びるためにひたすら努力したわ。国家のためじゃない。私のため。国家と結婚した女？　ヴァージン・クイーン？　大嘘《おおうそ》よ、私が痛い思いをしないため。私が嫌な思いをしないため。どちらともとれる発言を繰り返し、思わせぶりな笑みを浮かべて、生き抜いてきただけなの。笑いなさいよ、メアリ、あなたは正しかったわ」

彼女は舞台に向かって叫んだ。甲高い笑い声がどこからか響いてきて、神々しいコーラスが哄笑《こうしょう》に満ちた歌声に変わる。

　おまえの血は赤いだろう、白い鳩《はと》の血のように。
　おまえも赤く血に染まるだろう、首を切られた白い鳩のように。
　さあ、次は誰の番だろう？　誰が次の赤い鳩になるだろう？

「その唄《うた》はやめてちょうだい！」

悲鳴のように彼女は叫び、思わず席を立つ。隣の男は彼女を宥《なだ》めるように腕をつかむ。彼女はその手をふりほどく。舞台から吹く風はますます強くなる。

「御覧なさい、あれが天球です」

男が鋭く叫んだ。

ふと気付くと、舞台の中央に、巨大な球体が浮かんでいた。銀色に光り、ゆっくりと空中を回っている。何の仕掛けも見えなかった。大きな球体——どことなく神秘的で、どことなく不吉に生々しい球体が、かすかに揺れながら舞台の上に浮かび、時折上の方で輝く光に赤く青く色を変えていく。

「何？　なんなの？　天球？」

「私たちの宇宙を司《つかさど》るものです」

彼女は男にしがみついていた。こんなにごうごうとひどい風が吹いているというのに、球体はまるでその風を受けていないかのように静かに浮かんでいる。

やがて、中空に浮かんでいた大男がゆっくりと球体に向かって降りてきた。手に握っている巨大な斧が不気味に輝いている。

「あの男は何？」

彼女は混乱している。何か恐ろしいことが起きる予感に、声は金切り声になっている。

「あの男は『運命』です。彼は宇宙の二つの天極を結合するための斧を持っている」

男はあくまでも静かな声で彼女の耳に囁《ささや》き続ける。

「なぜ？　ものを叩《たた》き割り、こなごなにしてしまう斧が、なぜ天極を結合することができるというの？」

彼女の声はほとんど悲鳴だ。

「ものは切り離すことによってより強固に結びつくことができるのです。一本の長い枝を折れば、二本の束にすることができます。一本の糸よりも、二本の糸をよりあわせた方が遥《はる》かに強い糸を作ることができます。蜂《はち》は遠い巣の新しい伴侶《はんりょ》を求めて飛び立ちます。二本の手は離れていることで、しっかりと握り合わせることができるのです」

きらきら光る斧が、銀色の球体にじわじわと迫ってくる。

無表情な、空洞のような目をした大男は軽々と斧を天に向かって振り上げた。


「やめて！」


空を切る重い刃の音が心を引き裂く。

何かが割れ、何かが開く気配がした。何が開いたのかは分からない。何者かの巨大な手が、舞台の天井をこじあけたかのような気配。

頭上を鳩の群れが飛んでいったような気がした。

彼女は目をつむる。固く、固く。

ふと、次の瞬間目を開けると、彼女は振り降ろした大きな斧を持って宙に浮かんでいた。

そこは一面の闇《やみ》だった。

上も下も、左も右もない重い闇。

見ると、彼女が斧を入れた天球が、今ゆっくりと二つに分かれていくところだった。

大きな球体が、徐々に小さな二つの球体に分割されてゆく。

それは柔らかく、しなやかな粘性を帯びていた。最初は球を二つに割った形だったのに、離れたところが糸を引くように膨らみ始め、つやつやとした二つの球体に形を変えてゆく。

それは、何やら『生命』そのものを感じさせた。

闇の中に斧を持って漂いながら、彼女はじっとその球体の変貌《へんぼう》を眺めていた。

あまりにも広く、あまりにも頼りない世界に、精神は考えるのをやめ麻痺《まひ》していた。

果てしない闇。残像のように月がめまぐるしい勢いで移動してゆき、白い粉のような星々が無数に遠い闇を埋めている。

あの男はどこ？

自分の長い金髪が闇の中に広がるのをぼんやりと感じながら、彼女は男の気配を探す。

「あなたは、天球を割ってしまったのです」

頭の中に声が聞こえてきた。

「どこ？　今あなたはどこにいるの？」

彼女はきょろきょろと闇の中を見回すが、身体《からだ》が動かない。微動だにしないでいるように見えるのに、本当はすさまじい速さで動いているような気もするのだった。

「ここに。あなたのずっと下の方に」

彼女は顎《あご》を引き、自分の下の方に目をやる。

豆つぶのような男の姿が、それでも一瞬にして視界の中に飛び込んできた。

銀色の球体は、互いを追いかけるようにくるくると回り始めた。永遠に続く回転運動。

「あ、球体が」

やがて、お互いの引力を失ったかのように、いきなり弾みをつけてぽーんと離れて飛んでいく。

「離れてしまう」

球体はみるみるうちに遠ざかり、あっという間に小さな白い点となって消えていった。

取り残された闇。

すさまじい虚無感と、喪失感に彼女は絶望する。

「ああ、行ってしまった」

「ええ。分かれてしまったのです」

「どうすればいいの、どうすれば」

彼女はおろおろと叫ぶ。涙が溢れてくる。あとからあとから、深い闇の中で涙が頬を伝う。なぜだろう、これまで何年も流したことのない涙が。キャサリン・パーが亡《な》くなった時ですら泣くことのできなかった私が。

「行ってしまった、行ってしまったわ」

彼女は子供のように顔を歪めて泣きじゃくる。

「何が行ってしまったのです、陛下？」

男は今では小さな犬ほどになっていた。それでもまだかなり下方のところにいる。

だが、声ははっきりと聞こえてくるのだ。

「私は誰のものにもならない。国家ですら私ではない。肉体は滅びても、」

彼女は闇の中で大声で叫んでいた。泣きじゃくりながら、返事のない巨大な暗黒の中で。

「私の魂だけは私のもの。誰にも束縛されず、誰にも干渉されない。私の魂には何の肩書きもない、先祖も、王位も、教会も、父も母も、男と女すらもその色を付けることはできない。私の魂だけは」

彼女は両手を広げて宙を飛び続けていた。

「どこまでも自由に飛んでいく。その存在のある限り永遠に。天の果てまで。時の果つる汀《みぎわ》まで」

彼女は突然我に返った。

正面に、しかし離れたところに男が立っていた。いや、浮かんでいる。まだ男は仮面を顔に付けていた。が、それでも男が静かな表情を浮かべているのが見てとれた。

「それがあなたの夢の始まりだったのですね」

男は穏やかな声で呟いた。

彼女は怪訝《けげん》そうな表情で目の前の男を見つめた。

「私の夢？」

「ええ、そうです。あなたの夢です。エリザベス、もうそろそろ私のことを思い出してくれませんか。私はあなたの一部なのです。あなたの時の内側にいるのです」

男は辛抱強く語りかけた。

彼女は恐怖に襲われる。何かが彼女の中に込み上げてくる。私の内側に。

「私たちは会いましたね。幾度も幾度も。覚えていませんか」

突然、きぃいいいいいいんという耳を破るような音が空から降ってきた。彼女は耳を塞《ふさ》ぎ、動転して反射的に身体を縮めた。激しい爆発音がそこここで響き渡る。

「あれは何。雷鳴なの？」

怯《おび》えた声で目を開くと、真っ白な曇り空をたくさんの黒い十字架が横切っていくのが見えた。

「鳥？」

「ドイツの爆撃機です。あなたは一九四四年のロンドン大空襲で亡くなっているんですよ」

「一九四四年」

おうむがえしに呟きながら、彼女は逃げ惑う。どうしたことだろう、彼女はいつのまにか幼い少女になっているのだ。火薬の匂《にお》い。炎の予感。のどを焼く煙。

ママ、ママ。どこにいるの。

彼女は泣きじゃくりながら瓦礫《がれき》の中で出口を探している。

炎の燃え盛る音が彼女の意識をかき消す。

次の瞬間、雨に濡《ぬ》れた草の匂いが鼻をかすめ、彼女は息を切らし、広い農園を小走りに下っている。身体が軽い。筋肉に力が漲《みなぎ》る。あたしは若い女なのだ。

彼女はもどかしげに走り続ける。

胸がいっぱいだ。胸に込み上げる幸福の予感、自分を待ち受ける愛の予感に心は躍っている。いや、それどころか彼女の心は爆発しそうなほどだ。

雨上がり。暗い空の片隅に、雲が動いているのが見える。湿った空気に、春の気配が満ちている。空を横切る二重の虹《にじ》。虹をくぐる鳥の群れ。

その茂みを抜ければ。

歓喜の予感。

会える。もうすぐ会える。その茂みを曲がれば。

突如、その思いは激しいスコールに中断される。

真っ暗だ。彼女は真っ暗な部屋にいる。すっぽりと音の檻《おり》に包み込まれている。

身体が重い。息をするのもやっとだが、呼吸をする度にねっとりと生温い湿気を帯びた空気が彼女を息苦しくする。

ここはどこだろう。どこか南の国だろうか。白い窓、白い壁。窓の外ではくっきりとした線の束が激しく地面を叩き付けているのが見える。

ああ、お願いよ、早く。早く私のもとへ来てちょうだい。私にはもうあまり時間がない。どうしてこんなに身体が重いのだろう。まるでベッドに縛り付けられているかのよう。重い空気に、全身がべったりと寝汗をかいている。嫌な気持ち。焦《あせ》る気持ち。だが、身体は動かない。

ゆっくりと鳩が空を飛んでいる。

彼女は空を見上げている。陰気な暗い塔から見えるのは、四角く切り取られた狭い空だけだ。鳥になりたい。空を飛びたい。いつも彼女はじっと空の一点を見つめている。

いつからうすむらさきのヒースの咲き乱れた丘を一人で誰にも邪魔されずに駆け回ってみたい。たった一人きりで。誰もいない丘の上を、夕暮れまでずっと。

光が揺れる。木洩《こも》れ日が輝く網を作る。キンモクセイの香りが鼻をくすぐる。

彼女は走っている。

一人で丘の上を走っている。

少女の彼女が、若い娘の彼女が、老いた女王の彼女が、同時に同じ場所をいっしんに駆け続けている。

息切れがする。額と脇《わき》の下を汗が伝う。太陽が傾き、丘の上のオークの輪郭を金色に浮かび上がらせている。心臓が激しく打ち、喉《のど》もとまで上がってきているように思える。

もう少し、もう少しの辛抱だから。

彼女は自分を励まし、丘を登る。

オークの木陰に誰かが立っているのが目に入り、胸がどきんとする。息ができなくなる。

ああ、やっとたどりついた。ずっと探していたあなた。ずっと会いたかったあなた。

太陽が、オークの中で金色に輝いていた。

木陰に佇《たたず》む、黒髪の青年。

彼女は叫ぶ。

「エドワード」

そこに、仮面を付けた青年が立っていた。彼女はその青年をよく知っていた。

ぱきん、と澄んだ音がして、青年の顔の仮面がまっぷたつに割れて、草の上に落ちる。

そこにはよく知った顔があった。

美しいエドワード。大理石のような肌、ほりの深い顔だち、精悍《せいかん》なのに繊細な色を帯びた黒い瞳《ひとみ》。穏やかな笑みを浮かべて彼はオークの木陰で彼女のことを待っていた。

彼女はかすかに震えながら丘の斜面を登っていく。よろよろと怯えたように。

「思い出してくれた？」

青年はほんの少しだけ淋《さび》しそうな表情で、彼女に小さく尋ねる。彼女は何度も何度も顔を歪《ゆが》めて頷《うなず》く。

ええ、ええ、**ええ**、と。

「ごめんなさい、エドワード。あなたをこんなに何度もつらい目に遭わせていたなんて、あたしは」

彼女はよろよろとエドワードの胸に飛び込む。何かがかちりと合わさる音がする。

「――いつから僕がそのことに疑問を持ち始めたのかは、よく覚えていない」

エドワードは静かに話し始めた。

「それはいつもその直前にならないと思い出すことができないから」

二人の頬を風が撫《な》でていく。これはいつの風だろう？　春だろうか、夏だろうか。朝だろうか夕方だろうか。去年だろうか来年だろうか。

「でも、自分の中に沈んでいる記憶を何度も反芻《はんすう》してみて、どうやらこれは昨日今日に始まった話ではないと気が付いた――記憶はごちゃまぜだった。未来も、過去も、順番も。これはおかしいと思った。いったい『これ』は何なのだろう」

二人は静かに歩き始めた。黄昏《たそがれ》の丘。手を繋《つな》いで歩くシルエットが、オレンジ色に輝いている。

「誰かの谺《こだま》。誰かの見ている夢。誰かの意思の残像。そういったものが何度も繰り返し世界と歴史のあちこちに現れているらしい。僕は徐々にそう見当をつけるようになった」

穏やかな風景。平和な美しい世界。ここはどこだろう。

「では、あの『エリザベス』とは誰なのだ？　いつも僕の前に現れる、ほんの短い時間だけやってきて僕の心を奪っていくあの美しい女は」

エドワードは、苛立《いらだ》たしげな、それでいてうっとりした口調で遠い目をした。

彼女はくすぐったいような心地がするが、彼が話しているのは、今目の前にいる自分のことではなく、彼が記憶の中で出会った彼女のことなのだということをよく承知していた。寓話《ぐうわ》としての彼女。その彼女に、現実の今の彼女がかなうはずはない。

「考えていくうちに、僕は気が付いた――僕が彼女を訪れるのではなく、いつも訪れるのは彼女の方だ。彼女は僕に対して自由に接触してくることができる――つまり、夢を見ているのは僕の方ではなく彼女の方なのだと」

　エドワードは言いにくそうに呟《つぶや》いた。その表情が彼女の胸を刺す。

「それでは、誰の夢なのだろう？　僕はそれを探す決心をした——長い間さまよい、幾千幾万もの他人の夢を渡り歩いて、偶然、あなたの夢に辿《たど》り着いた」

「それで、回廊に現れたのね。なぜ仮面を」

「まさかあなただとは思わなかった。名前は知っていたけれど、ここが始まりだとは」

「私の名前を？」

「ええ。誰もが知っているよ。世界にその名は轟《とどろ》き、尊敬されている」

「まさか」

「本当だよ」

　二人は視線を交わす。彼女はずっと考えていた。長い間探し続けていたものが、今すぐそばにあると確認できた時、人はどんなふうに感じるものだろうかと。

「どう感じてる？」

　エドワードが呟いた。

「なぜ私の考えていることが分かるの」

「僕はあなたの一部だから」

「じゃあ、分かるでしょう」

「あなたの口から聞きたい」

「心の平和、ね。そうとしか言いようがない。しかも、こんな気持ちを味わったことはない」

「どう思う」

「素晴らしいわ。こんな感情が自分の中にもあったなんて」

エドワードはかすかに微笑《ほほえ》んだ。

「ここはどこなの」

彼女は辺りを見回す。こんな美しい場所は見覚えがない。

「さあ——どこだろう。僕にも分からない。あなたが無意識に僕と会う場所を探していたんだろう」

突然、火柱が上がり、地響きが起こった。

「うわ」

二人は身体《からだ》をかがめ互いにしがみつく。

もくもくと白い煙が上がり、白い塔のようなものがまっすぐに空に登ってゆく。

「何かしらあれは」

「ロケットかな」

「ロケット？　さっきのお芝居の続きではないのね」

「ひょっとするとここは」

「どこなの」

「いや、違うだろう」

再び辺りは静かになった。風が冷たくなってきていた。

こうして永遠に歩き続けていたい。二人で手を繋いで、心の平和を噛《か》みしめながら、黄昏の風に吹かれていたい。彼女は思わずぎゅっと彼の手を握った。

暫《しばら》く黙って歩いていたが、やがて、エドワードが立ち止まった。つられて彼女も足を止め、彼を見上げる。

エドワードは優しく微笑んでいた。が、その笑顔はなぜか遠くに見えた。

「どうしたの？」

胸の中にどす黒い不安が膨らむ。

「もう、あまり時間がない」

「なぜ？　どうしてそんなことを言うの。ずっとここにいましょう。やっと一緒になれたんじゃないの」

「あなたには分かっているはずだ」

「何が」

彼女はエドワードの腕にすがりつく。彼の瞳の中に答を見つけようとする。

「私たちはいつもあまり長く一緒にはいられない。あなたがそう望んでいるから」

「嘘《うそ》よ。あたしはずっとあなたといたい」

「そう。だからこそ、あなたはあまり私と一緒にいることができない。あなたがあまりにも完璧《かんぺき》な魂の結合を願っているから」

彼女はますます不安になる。エドワードの静かで真剣な目は、彼の言うことが正しいという確信を抱かせてしまうからだ。

「さあ、エリザベス。答えてください」

エドワードは彼女の正面に立ち、彼女の両肩をつかむ。彼の真っ黒な瞳に彼女が映っているのが見える。

「何を？」

彼女は恐怖を覚えながら尋ねる。

「私が誰であるか」

「何を言っているの、あなたはエドワードじゃないの。私がずっと探していた人だわ」

「エリザベス、よく考えるんだ。なぜあなたは私をエドワードと名付けたんです？」

「え？」

頭の中が真っ白になった。

足元にこつんと何かが当たる。

見下ろすと、そこには糸を巻いた毬《まり》が転がっている。

はっとして、顔を上げ、毬の転がってきた方向に目をやると、幼い弟がうずくまっていた。

そんなところにいたの？

彼女が声を掛けると、弟はすねたように顔を上げ、一言叫んだ。

『次はおまえの番だ！』

やめてちょうだい、エドワード！　彼女は天を仰いで叫ぶ。

『エリザベス、エドワードの洗礼に出てくれるな？』

父上の声。

聖職者の列の間を縫《ぬ》って二人は進む。ヘンリー八世の正統なる嫡子《ちゃくし》。幼きエドワード六世の後ろを、彼女は進む。

塔の中で、彼女は空を見上げている。青空を横切る鳩《はと》。たなびく雲の行方。

侍女に聞かされた話が頭から離れない。ある日、少年王エドワード五世とその弟ヨーク公リチャードはふっつりとロンドン塔から姿を消したのです。その行方は誰も知りません。毒を盛られたのか、刺し殺されたのか——

二人はどこへ行ってしまったのだろう。幼くして肉体を失った二人の魂は？

彼女は窓を見上げてじっと考える。

私はどこへ行くのかしら。このまま塔の中で死んでしまったら、私の魂は？　この窓から外に出て、あの鳩のように高いところへ昇っていくのかしら。だったらどんなにいいだろう。こうして暗い部屋の中で肉体に縛り付けられているよりも、あの空を飛べたら。

「答えてください、エリザベス」

エドワードの黒い瞳が彼女を見つめている。

「私は」

彼女はそっと後ろを振り返る。

そこには、大勢の人々が彼女を見つめていた。

丘のふもとに、たくさんの老若《ろうにゃく》男女が立っている。みんな、無表情に彼女にじっと目をやっている。幼い弟エドワード、ロンドン塔に消えたエドワード五世とその弟リチャード。父上に母上、キャサリン・パーにメアリ。処刑台に消え、病に倒れ、自分の存在価値を確認する暇もなく歴史のページに消えていった者たち。血まみれの駒《こま》となり、捨てられていった者たちが。

「そう。私は、彼等の全《すべ》てを解放したかった——彼等の魂の無垢《むく》なる部分を」

「ええ。そして、それは彼等の魂であると同時に、あなたの魂の一部でもあった。そして、それらの象徴があなたのエドワードになった」

「私の」

「ええ。だから、私たちはいつも離れている。無垢なる魂の純粋な結合はあなたの望みだった。けれど、純粋なる結合というのは常に矛盾にさらされている。あなたの魂は何者にも所有されることを望まない。誰かと結びついたとたん、たちまち濁り始め、輝きを失う。離れているからこそ純粋でいられる。ほんの一瞬の逢瀬《おうせ》のみがその魂を輝かせることができる」

　彼女はかすかに震え始める。

「それでは」

「だからこそ私たちは長い間共にはいられない」

彼女は不安になる。

「どうすればいいの。そのために、あなたは何度も苦痛を味わってきた。あたしが何度もあなたに別離の苦痛を」

彼女の声が震える。

おもむろに、エドワードはにっこりと笑った。初めて彼女に見せた、はっとするような豊かな笑顔だった。

「いいんです」

「え」

「私はそれでも構わない。確かに私は苦しんだ。一瞬の逢瀬のあまりの素晴らしさに、その後突き落とされる別離に絶望した。覚えていますか、あなたは私の腕の中で息絶えたこともあった——あの時の絶望と、恐怖。今でも忘れられない。でも——それでも」

エドワードは一瞬黙りこみ、視線を落とした。低い声で呟く。

「私は、あなたの夢になれてよかった。あなたのエドワードになれてよかった。たとえ、夢でも一瞬でも構わない。私を夢見てくれたあなたを、私は誰よりも深く愛してしまったから」

冷たい風が強くなってきた。

彼女はふと、エドワードの手に流れている血に気が付く。

「あなた、手に怪我《けが》を」

「ああ、さっき仮面が割れた時に破片で」

エドワードは自分の指に流れている血を見下ろした。

彼女は白いハンカチーフを取り出す。

幼い弟が彼女の誕生日に贈ってくれたハンカチーフ。侍女にわざわざ縫い取りをさせた言葉が嬉《うれ》しくて、肌身離さず持っていた。

from E. to E. with love

彼女は手を伸ばし、エドワードの指に優しくハンカチーフを結わえる。

エドワードは、じっとそのハンカチーフを見つめていたが、何かに気付いたように遠くへ目をやった。

「御覧なさい」

エドワードが、一点を指さした。

地平線の森を抜けて、一頭の一角獣が力強いステップでこちらに駆けてくる。

「ああ、あれは」

彼女はゆっくりと記憶を辿《たど》った。

塔の暗い部屋の中。窓から射《さ》しこむ光の中で、彼女は絵を描いている。

部屋の石の壁を削って貯《た》めた砂の上に、指で紋章を描いている。

彼女のための紋章。彼女一人のための紋章。

右側に一角獣。左側に若い女。顔には布をかけ、胸には刀剣が刺さっている。

一角獣。それは純潔の象徴。顔のない、胸を刺された女は、肩書きのない名もない女。たとえ肉体は滅びても、魂は何者にも売り渡さない——

彼女は指でモットーを書き入れる。

『魂は』

「魂は」

彼女とエドワードは一緒にその言葉を呟く。

『全てを凌駕《りょうが》する』

「全てを凌駕する」

重なりあう声が聞こえる。無数の王子たち、女たち、少女である彼女やあらゆる時に存在する彼女の声が。

『時は内側にある』

「時は内側にある」

光り輝く一角獣が丘をゆっくりと駆け登ってくる。その美しい獣は、二人の隣に無邪気な瞳《ひとみ》で立ち止まる。

二人は言葉もなく見つめあう。

「さあ」

エドワードが小さく呟《つぶや》く。

「聞かせてください。あの言葉を。私をいつも勇気づけてくれるあの言葉。また次に会うまでの長い年月を耐えることのできるあの言葉を」

彼女は震えだし、顔を歪《ゆが》める。小さく何度も頷《うなず》き、口を開く。

「——覚えていて、エドワード」

彼女の目から涙が流れ出す。

覚えていて、エドワード。そうよ、覚えていて。私のことを忘れないで。あなたをいつも地獄に突き落とし、いつまでも続く輪廻《りんね》の中に閉じ込めてしまった私、神に永遠に許されることのない私のことを覚えていて。

エドワードはほっとしたような笑みを浮かべて聞いている。

「いつもあなたを見つける度に、ああ、あなたに会えて良かったと思うの」

エドワードは小さく声を揃《そろ》えて呟いていた。私も、と。

「いつもいつも」

声が震えていた。

「あなたに会った瞬間に、世界が金色に弾《はじ》けるような喜びを覚えるのよ」

エドワードの唇が、私も、と動いている。

「エドワード！　また、いつか」

そう叫んだとたん、エドワードと一角獣はゆっくりと寄り添いながら遠ざかり始めていた。彼女を振り返りながら、黄昏《たそがれ》の丘を降りていく。彼女は一歩も動けない。

いつか、また。時のはざまで。名もない男と女として。

やがて、丘には彼女一人きりになった。

随分長い間、彼女は一人で丘に佇《たたず》んでいた。

辺りに人影もなく、風景はどんどん夜に沈み始めている。

彼女はよろよろと歩き始めた。

どこへ行こう。どこへ帰ろう。今度はいつ彼に会えるのだろう。

流し疲れた涙が乾いていた。

のろのろと丘を降りながら、彼女はふと、自分の正面に、一枚のドアが立っているのに気が付いた。

ドア？ どう見てもドアよね？

野外の草地に、一枚のドアがむき出しで立っている。

彼女は恐る恐るそのドアに近付いていった。

ノックをする。

「どうぞ」

深みのある落ち着いた声が聞こえてきた。年配の男のようだ。かすかに緊張して、彼女はドアを開く。

そこは、大きな書斎だった。高い天井に向かって、ぎっしりと本棚が伸びている。

正面の大きな机の前に、一人の老人が座っていた。じっとこちらに背を向けている。

あのう、と彼女は小さく呟いた。

ゆっくりと老人はこちらを振り返る。

どこからか柔らかな歌声が聞こえてくる。

おお、イングランド。わたしのライオンハート。

逆光になっているためよくその顔は見えなかったが、彼女がよく知っている人のような気がした。表情は分からないが、その人は彼女を歓迎しているのが分かった。

「やあ、エリザベス」

彼女は後手に扉を閉める。彼女は自分の仕事を思い出す。

はじめまして。

ドアが閉まるばたんという音と共に、丘の上は空っぽになった。今そこにあった一枚のドアは影も形もなく、一人佇んでいた若い女の姿もない。

最初から何もなかったかのように、静かな丘はゆっくりと夜の闇《やみ》に沈んだ。

巨大な太陽が沈もうとしている。

大きな窓に、じりじりと沈む早春の太陽が影を落としていた。

その寝室には、大勢の人々が詰め掛けていたが、皆何かを待つようにじっと息を殺していた。誰もが表情を暗くして、避けられぬその瞬間を待っている。

ベッドには痩《や》せた老女が昏々《こんこん》と眠り続けていた。顔はかさかさになり、土気色で全く生気はない。やつれた顔の侍女が、時折手を伸ばして額の汗を拭《ふ》きとっている。

重苦しい空気は夜じゅう続いた。駆け付けた重臣たちも、互いの表情や動きを牽制《けんせい》するように時々睨《にら》みあったり咳払《せきばら》いをしたり、いつ来るとも知れぬその時を待っている。

だが、確実にその時はやってきた。

こくりこくりとお付きの者たちが居眠りを始めた。

夜半を過ぎ、宮殿内はひっそりと静まり返っている。

「……わーど」

老女が突然、何ごとかを呟いたので、医師と侍女が跳《は》ね起きた。

「陛下？　陛下」

みんながその顔をのぞきこむ。

一瞬、その皺《しわ》だらけで無表情の顔がかすかに笑ったような気がした。

ほんの少し身体《からだ》がベッドに沈みこんだかと思うと、次の瞬間、ふっと軽くなった。

「陛下！」

悲鳴のような声が上がった。

すすり泣きが漏れ、女たちの間に伝染してゆく。

その知らせはさざなみのように、廊下へ、宮殿じゅうへと広がっていった。

別室で待機をしていた重臣たちは、女王の崩御《ほうぎょ》の知らせにいっせいに立ち上がった。

ぼそぼそと興奮した囁《ささや》きが交わされ、たちまちそれぞれの企《たくら》みに動き始める男たち。その中の一人、女王の晩年の宰相ロバート・セシルはそっと部屋を出ると廊下の隅に立っている男に向かって手招きをした。

「出番だ」

男はかすかに頷くと、セシルに渡された目立たぬ文書を携えて、闇の中に消えた。セシルは「頼むぞ」と小さく呟き、極秘に用意した早馬に乗った騎士を見送った。闇の底を、騎士ロバート・ケアリーはひたすらに駆けてゆく。何も考えない。ただスコットランドを目指すのみ。

ケアリーは麻痺《まひ》した心で馬を走らせていた。

終わった。全《すべ》てが終わった。女王はもういない。何か大きなもの、一つの時代が終《しゅう》焉《えん》を告げたのだ。

彼にはそれだけしか分からなかった。彼は女王の晩年を、忠実に仕えていた。偉大なるエリザベス一世、美しき聡明な女王。二度とあんな女性は出ないだろう。イングランドは、連合王国はこれからどうなるのだろう。

ケアリーはいっしんに駆け続ける。スコットランド王、ジェイムズ六世にイングランド王位継承の公式文書を届けるために。

この日、一つの王朝が終わりを告げ、新たな時代が幕を開けた。だが、同じ日に、ある一人の女が見た夢が、ある一つの物語の始まりであったことを知る者は誰もいない。

記憶

Memories/Du lawn tenn

18
Fernand Khnopff (1858-19

© Musées royaux des Beaux-Arts de Belgi
Bruxelles-Koninklijke Musea voor Sch
Kunsten van België, Bru

プロムナード

一九六九年　フロリダ

息苦しいのは、むせかえるような夏草の匂《にお》いのせいだけではなかった。

フロリダの空は、抜けるように青く高い。

ケニーは転がるように草原を駆けてゆく。

丘の傾斜がこたえる。それでなくともこの暑さだ。

約束の時間はとっくに過ぎてしまっていた。

輝く青空は、この日を祝福するかのよう。無理もない。今日は国じゅうがその瞬間を今か今かと待ち構えているのだ。

急がなくっちゃ。まさかあんなところでビリーに出くわすとは思わなかった。あいつはとっくにジェイミーの家に行ってるはずだったのに。

なんでもないように見えたかな？　自分の家に戻るところだと？　心臓がばくばくいっている。ポケットにちゃんとキャンデーは入っているだろうか？　本当はドラッグストアでアイスクリームを奮発したかったのだが、時間がなくて寄る暇がなかったのだ。

頭の中はジルの金色の髪と、水色のギンガムチェックのワンピースしかなかった。ケニーは彼女のあのワンピースが好きだった。

ちぇっ、自転車があれば。だが、今日は兄貴が朝早くから先に乗っていってしまった。兄貴もどこかの涼しい木陰で、今ごろアニタの肩を抱いて空を見上げているに違いない。ケニーはあまりアニタが好きではなかった。顔は可愛《かわい》いけれど、声がすっとんきょうで、あの声を聞く度に背中のねじがどこかで一本抜けているのではないかと彼女の後ろを覗《のぞ》きこみたくなるのだ。それに、アニタの台詞《せりふ》はいつも同じだ。「まあ、なんてロマンチックなんでしょう！」

ケニーはしばしばその真似《まね》をしたが、兄貴にひどく殴られたので最近はしていない。でも、女の子はロマンチックなことが好きだし、ロマンチックな演出さえすれば何でもさせてくれるんだぞと兄貴が目配せしてみせたことはしっかり覚えていた。しかし、彼にはどういうものがロマンチックなのかが分からなかったので、とりあえずキッチンのおやつ専用の缶から、棒付きキャンデーを二本だけ取り出したのである。イチゴ味とメロン味。ジルはどちらを選ぶだろうかと考えながら、ケニーは道を外れて木の柵《さく》をぱっと飛び越えた。ケントさんの農場を横切った方が早いと目算したためである。

どうせ、ケントさんの家族も今ごろはＴＶに齧《かじ》り付いているだろう。

農場を渡る風に押されるようにして、ケニーは走っていく。

心臓と呼吸が一体となって、少年を急がせる。

夏の午後、無邪気な季節。何の心配もない明るい光。

遠くの林檎《りんご》の木の下で、ちらっと動く金色の頭が見えた。

そわそわと心配そうな顔がぱっとこちらを振り返る。

ケニーは大きく手を振った。

少女の顔に、ホッとしたように笑みが弾《はじ》ける。

ケニーの胸に喜びが湧《わ》き上がる。この瞬間が永遠に思える。夏の日の午後、木の下で待つ少女に向かって駆けて行く喜びは彼の中に焼き付く。

少年がすぐそばまでやってきたところで、ふと、少女の視線が少年からそれる。

ケニーはそれに気付き、彼女の視線の先に目をやる。

「あれは？」

二人はぽかんとした。

青々とした草に覆《おお》われたなだらかな農場の丘に、一組の男女が立っている。

二人は、突如その場所に現れたように見えた。それまでは、視界に入る農場は確かに無人だったのだから。あの場所にもっと前からいたら、農場の柵を越えた時点で目に入ったはずである。

若くて美しい、超然とした様子の、一幅の絵のような二人。

「だあれ？　なんであんな格好をしているの？」

ジルが呟《つぶや》いた。

確かに二人の服装は異様だった。若い女は、純白の長いドレスを着ているし、若い男はやけにびらびらした白いリボンを襟元《えりもと》に付けていて、黒っぽいマントのようなものをまとっている。

「結婚式？」

まるでおとぎばなしか、学校でやるお芝居から抜け出してきたような格好だった。

その瞬間、静かに地面を振動が伝わってきた。

「あっ」

二人は同時に叫び、空を見上げた。

空気を伝って、遥《はる》か彼方《かなた》から巨大な地響きが押し寄せてくる。少し遅れて轟音《ごうおん》が続いた。

「やった！」

「やったわ！」

その直前に見た異様な二人のことも忘れ、少年と少女は歓声を上げ、跳びはねた。

白い煙に包まれ、オレンジ色の閃光《せんこう》と共に白い機体が垂直に空に上ってゆく。

その荘厳《そうごん》な、新しい時代を拓《ひら》く眺めに言葉を忘れ、二人はじっとくいいるように遠ざかる機体を見つめている。

誇らしい気持ちで胸がいっぱいになり、頬が感動にほてる。ジルはかすかに涙ぐんでいるようにさえ見えた。

これがロマンチックという奴《やつ》かしら。

ケニーはジルの感激した横顔を見ながら、そっとポケットから棒付きキャンデーを取り出した。

「あたし」

ジルは感極まった声で呟いた。

白い閃光はもう太陽の位置まで遠ざかっている。

ケニーはそっとジルの手を握ろうと手を伸ばした。

「あたし、メロン味がいいわ」

ケニーはすごすごと手を引っ込め、メロン味のキャンデーを彼女に手渡した。

熾烈《しれつ》な米ソの先陣争いを制し、人類をついに月に到達せしめることになるアポロ計画のクライマックスは、こうして始まった。

キャンデーを舐《な》めながら閃光が見えなくなるまでロケットを見送っていた二人は、さっき見たあの異様な扮装《ふんそう》の二人が、現れた時と同じようにいつの間にかまた丘から姿を消していたことに全く気付かなかった。

記憶

一八五五年　オックスフォード

花も夢を見るのだろうか。

最近、ふと気が付くとそんなことばかり考えている。

夕暮れの風があまりに心地好《よ》いからだろうか。最後の薔薇《ばら》があまりにもかぐわしいからだろうか。

顔を上げると、書斎の窓に置いてあるゼラニウムの赤が目に入る。

オレンジ色の光に沈むブナの森はターナーの絵のようだ。

そういえば、まだ、裏の庭にはほとんど手を付けていない。フランス人のように極端にシンメトリカルな庭を作ろうとは思わないが、もう少し整えて、午後に庭でお茶を楽しめるくらいにはしたいものだ。

以前のこの家の持ち主は、ロンドンの石鹼《せっけん》商人だったらしいが、かなりの好事家《こうずか》で庭にいろいろなものを拵《こしら》えていたようだ。夏草に埋もれているが、奥に小さな池と石造りのあずまやがあったはずだと牧師が話していたっけ。エレンも、蔦《つた》に覆われた小さな建造物があると言っていた。

この辺りの農家ではどの家にもゼラニウムが飾られていて、最初にこの村にやってきた時にその愛らしさに目を引かれたものだ。牧師館の隣の小さな石造りの家を買おうと決心した時に、自分たちも窓にあの赤い花を飾ろうとエレンと話し合った。

ここでは時間がゆっくりと流れている。ロンドンでの喧騒《けんそう》から遠く離れていると、あの汚れた空気やごみごみして煤《すす》けた街角が今この時も存在しているとは思えない。

隣人は、この辺りの農園の持ち主で、こざっぱりした大きな館《やかた》を構えている。窓の外からとんかんと木槌《きづち》を使う音が聞こえてくるのは、ゆるんできた馬車の車輪を若い男たちが打ち直しているところだ。彼等は陽気でよく働く。夕暮れ時には、主人のふるまう強いビールの香りに笑い声が響く。

郵便配達人がやってくるのが楽しみだ。郵便制度ができたのは本当に有り難い。もう二度とあの場所に住む気はないけれど、ロンドンの友人たちと一ペニーで手紙をやりとりできるのは心強い。フランスにも同じように手軽に出せればよいのだが。制度ができて以来、すっかり名誉ある職業になった郵便配達人が、立派な髭《ひげ》をしごきながら丘を越えてやってくるのが見えると、エレンも飛び出していって子供たちからの手紙がないか確かめている。

中国の寓話《ぐうわ》に、鍋《なべ》に粥《かゆ》を炊《た》くほんの短い時間に、自分の一生の夢を見るという話があった。このところ、よくその話を思い出す。こうしてペンを持つ手を休め、窓べのゼラニウムを目にする度に、自分の一生は紅茶が冷めるまでの間のような、つかのまのもののような気がしてしまう。これまでに積み上げた膨大な時間はどこへ行ってしまったのだろう。こうしてその時間の行方を思索している私の意識は、どこに存在しているのだろう。

そして、私の見る夢は、そのどちらに属しているのだろうか。

歴史を学ぶということは、大きな振り子に似ている。現実に背を向け、かびくさい過去の出来事を掘り返していたはずなのに、ふとした拍子《ひょうし》に自分が今まさに現代と向き合っていることに気付く。

ヴィクトリア女王の御代《みよ》を迎え、世界はいよいよ流動的になっていく。産業革命が始まり、雇用者と被雇用者が発生した時から、労働者たちが徐々に発言力を高めていくことは予想されていた。権利という考え方が武器となる時代がやってきたのだ。遠からず彼等はさまざまなものを勝ち取るだろう。その道程はかなり困難なものではあるが、絶えず生み出されていく無数の労働者たちは決してあきらめないだろう。権利という考え方は、あらゆる大義名分を補強する。それらはぶつかりあう機会を増やしこそすれ、この先決して減らすことはないだろう。狭くなった世界、取り分が少なくなる一方の世界。一労働者から一国の宰相まで、誰もが己の権利を主張し、互いの血の最後の一滴まですすり合うのだ。やがて世界は混乱に陥るだろう。次々と新しい技術が登場するのを聞くにつけ、世界規模の戦争が勃発《ぼっぱつ》するのは時間の問題だと思われる。

その一方で、世界の片隅ではこうして変わらぬ人々の生活も常に存在しているのだ。リズミカルに回る水車、台所の壁ぎわで続けられる女たちの麦藁《むぎわら》編み、クリケットの試合に集まる男たちの歓声。

人間の意識は泡のようだと思う。それは決して連続しているわけではない。恐らく、どこかに人類全体の巨大な意識の流れのようなものがあって、個人の意識はその流れの中に浮かぶちっぽけな泡に過ぎないのだ。無数の泡は、激しく渦を巻く流れの表面にぷくりと浮かんでは、弾けて消える。今こうして存在している世界そのものが、その巨大な意識が見ている壮大な夢なのかもしれない。


紅茶は冷めきっているし、手はすっかりお留守になっている。

私は小さく溜《た》め息をつき、たいして書き進めてもいないのに手に馴染《なじ》んでしまった革の表紙を撫《な》でさする。

仕事のための日記、備忘録《びぼうろく》としての日記、資料としての日記はもう数十年も付けている。一歴史家の記録として後世の人々の助けになることをささやかに祈って書き続けてきたものだ。しかし、それは言わばよそゆきの日記に過ぎない。私がこの日記を新たに付け始めたのは、私自身のためであり、この奇妙な胸騒ぎを宥《なだ》めるための道具としてなのだ。ゆえに、記述が支離滅裂になるのは承知の上だ。なにしろ、私自身がその記述を説明する言葉を持たないのだから。

最初の夢は、初めてこの家に案内された時のことだった。

私は生まれて初めて白昼夢というものを見たのである。

ロンドンでの生活に別れを告げることにしたのは、妻のエレンが町でひったくりに遭《あ》い、身体《からだ》に打撲を負ったのがきっかけだった。たいしたものは取られなかったが、暫《しばら》くの間、外出するのも、来客のベルにも怯《おび》える妻の恐怖に歪《ゆが》んだ顔を見て決心した。私はもう学校を退職していたし、子供たちも独立していたから、あんな治安の悪い場所に住んでいる必要はどこにもないと判断したのである。

知り合いのつてを辿《たど》ってこの村を選び、手ごろな物件を探して貰《もら》っていた中から幾つかを回り、最後に着いたのがこの家だった。

太陽は既に西に傾き始めていた。蔦のからまる石造りの家の輪郭が、その家をぐるりと囲む荒れた庭をも含めてふんわりとオレンジ色の光に輝いていた。

私はその眺めを目にした瞬間、なんとなく運命のようなものを感じた。それは妻のエレンも同じだったようで、彼女がそわそわしているのがこちらにも伝わってきた。

私たちは家の中を子供のように歩き回った。こぢんまりとした家で、使い勝手はよさそうだった。老夫婦二人きりの生活に、たいして広い家は必要でなかった。

裏庭に出る扉を何気なく開けた瞬間だった。

目の前に、一人の若い女が立っていた。

私はぎょっとした。近所の人間かと思ったのだ。

しかし、それにしては娘はやけに垢《あか》抜けていた。今のロンドンでもこんな格好をした娘はいない。彼女は見慣れない格好をしていた。地味なようでいて、大胆にも見えた。膝《ひざ》から下がむき出しになった、茶色のドレスを着ている。

あの時の自分の気持ちをうまく説明することができない。驚いたのと同時に、懐《なつ》かしいような気持ちが私の気持ちの大部分を占めていた。私はこの女を知っている、そんなふうに感じたのだ。

女は美しく、聡明さが顔に表れていた。

「はじめまして、先生。お目にかかれて光栄ですわ。エリザベス・ボウエンです」

娘はそう言って私に向かって手を差し出した。これまでに女性を教えたことはなかった。かつての教え子の妻だろうか。

ああ、と間の抜けた声を出し、私は手を差し出そうとした。

「エドワード、どうかなさったの？　庭に何か珍しいものでも？」

エレンが背後に近付いてきて、私はハッと我に返った。

目の前には誰もいなかった。

私はあっけに取られた。庭に出て、きょろきょろと辺りを見回した。娘はどこに行ったのだろう。たった今、目の前に立っていたあの娘は？

「まあ、ひどいぬかるみだこと。今朝の雨のせいね」

エレンは庭に出ようとして、足元を見下ろし躊躇《ちゅうちょ》した。私はつられて自分の足元を見た。革靴が泥につかり、自分の足跡だけが辺りの地面に痕跡《こんせき》を残している。さっき見た娘の足跡らしきものはどこにもなかった。

私は近所の宿屋に戻ってからも、自分の見たものについて考えていたが、混乱するばかりで答は出なかった。自分が白昼夢を見たということがなかなか認められなかったのである。しかし、あの扉の外には自分の足跡しかなかったし、あの時あの泥の中に立ったらほんの小さな子供でも足跡を残さないでいるのが不可能であることを思うと、やはりあの場所に彼女は存在しなかったことを認めざるを得なかった。

あまりにも鮮明な白昼夢だったことが恐ろしくなったが、その一方であまりにも鮮明だったので見たもの自体は全く怖くなかったのが不思議だった。

その時は、まだこうして日記をつけ始めようとは全く考えていなかった。

引っ越しの雑務に紛れて、いつしかあの白昼夢のことはすっかり忘れていた。親しい人たちとのお別れパーティや、こまごまとしたものの処分や、新しい隣人たちへの挨拶《あいさつ》などであっと言う間に時間は流れていった。

新しい生活がようやく肌に馴染んできた頃、次の夢を見た。今度は長い夜に、書斎のソファでうたたねしていた時の夢だった。

私は光に満ちた明るい場所に座っていた。

私の向かい側には、一人の女が座っている。よく知っている、懐かしい感じのする女だ。かなりの高齢らしい。豊かな銀髪が光に輝いているのが見えるが、逆光のせいで女の顔は見えない。私たちは満ち足りた気分で座っている。

さんさんと光が降り注いでいる。一面のガラスは、まるで万国博覧会で見た水晶宮のようだ。

ここはどこだろう？　目の前にいる女は誰だろう？

私は必死に記憶を辿る。

まぶたの裏が眩《まぶ》しくて、顔に手をかざそうとした瞬間、目が覚めた。

ぎょっとして、慌《あわ》てて起き上がる。

部屋の暗さが異様に思え、夜の静寂が身体に染み込むにつれ、ようやく今見たものが夢であったと気が付いた。

夢？ 夢。今のは本当に夢だったのか？

私は動転して辺りを意味もなくきょろきょろと見回していた。

混乱した頭は、それでもめまぐるしくいろいろなことを考えていた。そして、私の心の片隅の理性は一つの事実を指し示していた。

今の夢の中に出てきた女は、以前見た白昼夢に出てきた女と同一人物である。

なぜそう確信できたのかは分からなかったが、揺るぎのない自信があった。あの時は若く、今度は老齢であったが、同じ女であると。

私はソファに座り直し、じっくりとこの事実を検討してみた。

私は耄碌《もうろく》し始めているのだろうか？

まず最初に検討した可能性はそれだった。自分が耄碌してきたことを自分で判断できるのかどうかは分からないが、その説は受け入れがたかった。それに、記憶がとぎれていたり消失しているわけではないのだ。むしろ、新たな記憶が知らない場所で増殖していくような、奇妙な感覚が自分の内側にあった。もちろん、これまで体験したことのない感覚である。私は分析するのをやめにした。そして、普段の仕事をする時の目で、自分の見たものを改めて再現することにしたのだ。


それがこの革の日記帳を付け始めた最初だった。

以来、日記のページはゆるゆると、しかし着実に埋まっていくこととなった。

最初のような白昼夢は見なかったが、夜ごとの夢に彼女は現れた。

彼女は誰なのだろう？　なぜ私の夢に現れるのだろう？

夢が気に掛かっていたが、ゆっくりと時間は流れていく。

世界のかまびすしさが嘘《うそ》のように、このイングランドの片隅の庭は静かだった。

私は本を読み、歴史についての文章を書いた。エレンは紅茶を入れ、花を育てる。

私たちは朝な夕なに村を散歩し、少しずつ庭の手入れをした。庭に出る扉の外に石畳を敷くことにして、天気がいい時に一枚ずつ、気長に土に埋め込んでいった。

私たちはいつしか村に溶け込んでいった。村人たちと気軽に挨拶を交わし、村の小さなパブに顔を出し、日曜日には教会で祈りを捧《ささ》げる。時には村の子供たちに歴史の話をしてやることもある。

穏やかに流れる日々。

エレンはフランスに嫁に出した末娘のことが気に掛かるようだった。相手は裕福な毛織物の商人で、責任感の強い男だったので私たちも最後には折れたのだが、妻はずっと反対していた。ドーヴァー海峡を越えた見知らぬ土地で、イギリス人の娘が苦労するのではないかと心配していたのだろう。私たちは歳《とし》の離れた末の娘を可愛《かわい》がっていたので、嫁に出す時は二人揃《そろ》ってがっかりしたものだ。けれど、私たちの心配をよそに、時折来る手紙を見ると、気丈な娘はルーアンでしっかりやっているらしい。孫も次々に生まれて、彼女はすっかり母親らしくなっていった。

やがて私は、むしろ単調な日々を彩《いろど》るものとして、あの夢を受け入れるようになっていった。

もしかすると、彼女は私の創作なのかもしれない。歴史の記録者、思索者として生きてきた私が長年心の中で作り上げていた架空の娘が、抑圧された夢想の中に立ち現れてきたのかもしれない。

そう考えるようになると、日記を書くのは私のひそかな楽しみになっていた。夢の中で会う美しい女。彼女が自分のためにだけ存在しているのだと考えるのは、このような老齢にあっても心が華やぎ、楽しかった。

エリザベス。それが彼女の名前だ。

私はその名前を舌の上で転がしてみる。私の夢の女。私だけに会いに来る女。人間というのは、何事にも慣れてしまうものだ。

私は夢の中の女を待ち焦《こ》がれるようになった。若い頃にはただの時間泥棒であった睡眠が、書斎のまどろみが、親しいものになった。

しかし、断片ばかりだった夢が、ある晩不穏な色を帯びた。

私は、どこか広い場所にいた。

下は平らな石が敷き詰められていて、どこまでも続いている。そこには大勢の人々がいた。帽子をかぶり、外套《がいとう》を着て、何やら興奮した声で騒いでいる。中には女性も少なからず混じっていた。競馬場だろうか？　しかし、馬らしきものやコースらしきものは見当たらないし、人の波はどこまでもとぎれることがない。どうやら彼等の目的のものはまだ到着していないらしく、みんなが思い思いのお喋《しゃべ》りに興じているようだった。

私はその雑踏の中を、一人で歩いていた。

空は暗く、ぱらぱらと冷たい雨が降っている。

私は若かった。そして、世にも憂鬱《ゆううつ》な、絶望的な気分でいるのが分かった。

叫び出したいのに、叫び出せない。誰も自分に声を掛けてはくれない。

私はみじめで孤独だった。この世で一人きりのような気分だった。喧騒《けんそう》に満ちた場面だということは分かるのだが、全く音は聞こえなかった。ただ景色だけがするすると目の前を流れてゆく。だが、雨の冷たさ、孤独の痛さがじわじわと胸に染み渡ってくる。

と、人込みが割れて、一人の少女が駆けてくる。十二、三歳くらいの美しい少女。

エリザベスだ、と夢を見ている私の胸は高鳴る。しかし、夢の中で歩いている私はまだこの少女の存在を知らないらしいのだ。夢の中の私は当惑し、少女は私に何か一生懸命説明している。だが、私は面くらうばかりで少女に対する態度は冷たい。二人は歩き始める。相変わらず群衆は何かを待ち続けており、興奮は高まる一方だ。

二人は群衆に構わず何かを喋っているが、その声は聞こえない。私は夢を見ながら一生懸命耳を澄ましたが、二人の口はぱくぱくと動くだけで全く何も聞こえないのだ。私は夢を見ながら歯がみをする。

場面は突然変わり、何かの強い衝撃を感じた。

エリザベスが何か大きなものにぶつかったらしい。事故だろうか。

雨の中に倒れているエリザベス。彼女は私を助けたのだと直感で悟る。私の代わりに事故に遭ったのだと悟る。

少女の唇から血が流れている。彼女は私の腕の中にいる。それは恐ろしい体験だった。今まさに消えなんとしている少女の命を、腕の中に感じるのだ。胸は張り裂けそうに痛み、前にも増して激しい後悔と絶望が全身を揺さぶる。

いやだいやだ、誰か助けてくれ。助けてくれ、彼女を。死なせないでくれ、エリザベスを。この死にゆく少女を救ってくれ。

私は全身をねじって叫んでいた。しかし、その声はやはりこれっぽっちも聞こえない。

少女は最後の力を振り絞り、私に白いハンカチーフを渡す。

あまりにも悲しい夢だった。夢だと分かっているのに、慟哭《どうこく》をこらえることができなかった。

「あなた、あなた」

妻に揺り起こされ、夜中にハッと目が覚めた。

エレンが真っ青な顔で私を見ている。

「ああ」

私は中途半端《はんぱ》なため息を漏らした。まだ胸の中に深い悲しみが残っている。夢が中断されたことに対する安堵《あんど》と、まだ少女を腕に抱いていたいと思う気持ちとがごちゃ混ぜになっていた。

「――夢を」

「ひどくうなされていたわ、助けてくれと言って」

エレンはほっとしたような表情になった。

「うむ」

私は再び枕《まくら》に後頭部を付けた。やがてエレンも眠り直すことにしたようだ。

彼女の寝息が聞こえるようになってからも、私は暫《しばら》く胸の中に残る光景を見つめていた。

夢の中の少女が死んでしまったという衝撃に、どう対処すればよいものか悩みながら。

違和感を覚えたのは、少女が死んでしまった夢を見てから数日後のことだった。

朝の紅茶を飲み終え、ロンドンから送られてきた新聞を読んでいた私は、ふと、妻が小さな出窓にカーテンを掛けているのに気付いた。

モスグリーンの綿の美しいカーテンで、朝晩冷え始めた今ごろにはぴったりの、暖かい色彩が目に心地好《よ》い。すき間風を防ぐためでもあるのだろう。そのカーテンはその出窓に誂《あつら》えたかのようなちょうど良い長さだった。うまい具合に拵《こしら》えるものだ、と頭の隅で感心しながらも、私は奇妙なことに気が付いた。

あのカーテンには見覚えがある。

引っ越すことを決めた頃、妻がロンドンで縫い始めたのだ。

だがそれは、まだこの家を見る前のことだったはずである。

私は、細い腕を上げカーテンを吊《つ》り下げている妻を見守った。

単にサイズを変えたのだろうか？　この窓を見る前から、この窓にぴったりのカーテンを縫い始めるということが可能だろうか？　この窓は、明らかに変則的に設けられた出窓だった。

「ぴったりじゃないか。よくこんな形の窓に合うカーテンを作れるものだな」

感心して声を掛けると、エレンはきょとんとした表情でこちらを振り向いた。

「え？」

「おまえ、ロンドンにいる時からそれを縫っていただろう？　随分用意がいいなと感心していたところだ」

そう言って書斎に移ろうと立ち上がった私は、妻の表情にハッとした。

エレンの表情は凝固していた。

何かに驚いたような、強い衝撃を受けたかのような顔だった。

「どうした？」

具合でも悪いのかと不安になり、近寄ると彼女はびくっと私を振り向いた。

「いえ。何でもないの。ちょっと思い出したことがあって。牧師館でするお茶会の準備をするのを忘れていたわ」

エレンは慌てて表情を繕うと、台所の方にそそくさと歩いていった。

私はあっけに取られ、一人居間に残される。

さっきの妻の表情は何だったのだろう？


エレンに初めて紹介された時のことは今でもよく覚えている。

学問一筋の堅物《かたぶつ》だった私に、父の友人がさりげなく引き合わせてくれたのだ。

最初の印象は悪くなかったが、どことなくおどおどした娘だなと感じたのを覚えている。当時の彼女は、引っ込み思案でいつも誰かの後ろに隠れているような娘だった。よく見るとたいそう美しいのに、自分でその美しさに気付いていないようだった。格好も野暮ったく、年寄りの着るような服や色ばかり身に着けていた。まあ、私はもっと格好に構わなかったのでお互い様であるが。

最初のデートがオックスフォード博物館だったというのを思い出して今でも二人でよく笑うのだけれど、当時の私たちにはそこが似合っていた。展示品を眺めては、飽きずにいろいろな話をしたものだ。話してみると、彼女は非常に聡明で、まだほんの小娘だったのによく勉強していた。私たちは自然とひかれあうようになった。何度もつきあいを重ねるうちに、みるみる彼女は変わっていった。婚約が決まった頃には大輪の花が開いたかのように美しくなり、私たちがつきあい始めた当初、彼女を垢抜《あか》けないと馬鹿《ばか》にしていた友人たちが「あんな美人だったとは」と悔しがったものである。

それでも、時折、彼女はひどく不安そうな顔になる時がある。

夕暮れの鐘の音や、激しい雨の夜、彼女が自分の腕をさすりながら心細そうに立ち尽くすのを何度も見たことがあり、その都度私は何が彼女にそんな不安を催させるのか問い詰めずにはいられなかった。

何でもないの。

彼女はいつもそう言って笑ってみせる。

誰でもそんな気分になる時があるでしょう——自分はどこから来て、どこへ行くのかしらって。そんな、淋《さび》しい気分になる時がなくって?

彼女の言うことは分からないでもなかったが、それでもあんな不安そうな表情になるのは解《げ》せなかった。

やがて子供が生まれ、私の仕事も忙しくなり、雑事に追われているうちにそんな彼女を見ることはなくなったと思っていたのだが、ここでの生活に入ってから、また結婚当初の彼女のような、不安そうな表情を度々見掛けることに気付いたのである。


少女が夢の中で死んでしまってから、暫く彼女の夢を見ることはなかった。

一雨ごとに秋がやってきて、草木の色が塗り替えられてゆく。

庭の石畳は少しずつ伸びてゆき、それと同時に庭の奥へと私たちは分け入っていった。何しろ広い庭なので、我々二人きりではとてもいっぺんに手入れができる状態ではなかったのである。夏が過ぎて植物の勢いが衰え、ようやく庭の奥に足を踏み入れることができるようになった。

「まだまだ庭作りには時間がかかりそうだな」

二人で朝の散歩をしながら、ゆっくりと新しい敷石を埋め込んだ。

「ほら、あそこよ。あれが牧師様のおっしゃっていたあずまやじゃないかしら」

妻の指差す方向を見ると、林の奥に、蔦《つた》にすっかり覆《おお》われてしまっている直方体の建物が見える。

「もう少し草が枯れたら辿《たど》り着けそうだな」

「ふふ。楽しみは先にとっておきましょう」

ショールを肩に巻き、エレンはふわりと笑う。


鳩《はと》の飛んでいる夢を見た。

青空を、たくさんの鳩が舞っている。

ああ、これは久しぶりに見る彼女の夢だと気付いた。

彼女の姿は見えない。だが、どこかに彼女の気配を感じる。

群衆が集まり、歓声を上げているのが聞こえる。大勢の人々、歓喜に満ちた彼等の声。

今度は声がよく聞こえる。万歳、万歳と誰もが声を上げている。

彼女だ。これは彼女に対する群衆の声なのだ。

彼女が見たかった。一目でもいい、彼女の姿を見たい。その神々《こうごう》しい姿、女神のような凛々《りり》しい姿を目にしたい。

これはいったいどこなのだろう。彼女はなぜこんなにも大衆の支持を集めているのだろう。疑問を覚えながらも、私の心は歓喜に満たされていた。

彼女を称《たた》えよ。

私のエリザベスを。


エレンはあまり自分の子供時代の話をしたことがない。

私が彼女にその話をせがむと、子供の頃は病気ばかりしていてろくな思い出がない、とやんわり首を振ってその話を避けた。

彼女の両親は、よくできた誠実な人たちなのだが、やはりあまり彼女の子供の頃の話はしてくれなかった。いつも熱ばかり出していて、この子は成人できるのかと心配でたまらなかった。この子を失うのではないかという不安な日々だったので、当時のことはあまり思い出したくないのだ、と言うのである。

これまでそのことを深く考えたことはなかったが、ここに来てエレンのあの不安そうな表情を目にする機会が増えて、再び彼女の子供時代について考えるようになった。

彼女の不安げな表情は、彼女の幼児期に関係しているのではないだろうか。

彼女も両親も語りたがらない過去に、あの表情の意味が隠されているのではないだろうか？

考えているのだろう。
彼女は何が不安なのだろう。この穏やかな黄昏《たそがれ》、風の薫る風景を目にしながら何を
彼女の老いてなお美しい横顔を見ながら、その質問を口にすべきかどうか考える。
夕暮れの庭を散歩しながら、私はその質問を喉《のど》の奥に飲み込む。

（※）


徐々に庭を埋めている草が灰色になってゆく。灰色の塊が、みるみるうちに縮んでカサカサになってゆく。

ある初秋の晴れた日、近所の若者たちがあずまやを覆う蔦を払う手伝いに来てくれた。日ごろから鍛《きた》えている彼等の馬力はたいしたものだ。たちまちあずまやに向かう道の頑固な茂みが切り開かれてゆく。

「おう」

蔦に手を掛けた赤ら顔の若者が小さな叫び声を上げた。

「これはあずまやじゃないね——これは、温室だよ」

「えっ？」

彼等の作業を見守っていた私たちは意外な言葉に目を丸くした。

「ほら。小さな温室だよ。もう中の花は全部死に絶えちまってるけど」

どんどん蔦を払っていくと、こぢんまりしたガラスの家が現れた。

「まあ。ほんとだわ。初めて見たわ、こんな小さな温室」

「本当に前の持ち主は凝《こ》り性《しょう》だったんだね」

私たちは近くまで寄っていってみた。

ガラスはひどく汚れていたけれど、蔦にすっぽりと覆われていたせいか割れているところはない。よく掃除をすればすぐにでも使えそうだった。

「素敵じゃない。ここで花を育てましょうよ」

エレンは目を輝かせた。

私も彼女に負けず劣らず好奇心を覚えていたのだが、なぜか奇妙な胸騒ぎがした。

その温室を、どこかで見たような気がしたのである。


その夢は、風邪気味の熱に浮かされた状態で見た。

真っ青な空。見事なまでに晴れ上がった空である。

どこか遠い場所のような気がした。気のせいか、イギリスではないようだ。

だだっぴろい、なだらかな平原が続いている。

そして、そこを埋め尽くすのは青い服を着た無数の兵士たちだ。

戦争だ。これは戦争なのだ。今まさに、戦闘が始まろうとしているところなのだ。

エリザベスは？

私は夢の中で問い掛けた。

彼女はどこにいるのだろう？　こんな戦闘の場面で、彼女は何を？

平原を見回すうちに、彼女はここにいないことに気付いた。

ではなぜ？　これはあの夢ではないのだろうか？

彼女がいないこの夢は何を意味するのだ？

混乱しているうちに、戦闘は始まっていた。怒濤《どとう》のように押し寄せる兵士たち。形相を変え、恐怖に目を血走らせて突撃する若者たち。引きつった叫び声を上げ、銃剣で突き合い、血をほとばしらせて次々と倒れてゆく兵士。

みるみるうちに平原は血の匂《にお》いに満ち、火薬と硝煙《しょうえん》の匂いが風にたなびく。

累々《るいるい》と積み上げられる死体。鮮血と悲鳴、罵声《ばせい》と咆哮《ほうこう》。

しかし、煙がたちこめてはいても空はあくまでも青い。

透き通るような空の下で、果てしのない戦争が繰り広げられているのだ。

よせ。なぜ無駄に若い命を落とすのだ。なぜこんな幼い息子たちを死なせるのだ。

見よ、まだ人生の喜びも痛みも何も分からない子供たちではないか。

なぜだ。なぜ殺す。なぜ殺させる。今ここで命を落とすことが何の名誉になると言うのだ。よせ。すぐにその戦いをやめるのだ。無益な戦い。あまりにも高価な代償の戦い。

そこでふっと目が覚めた。

全身にうっすらと汗をかいていた。身体《からだ》が重い。頭は熱っぽく、関節が痛んだ。

これはきちんと横になった方が良さそうだ。

エレンを呼んだが、牧師館のお茶会に出かけていたのだと気付いた。

痛む関節を宥《なだ》めつつ台所に行って水を一杯飲み、寝間着に着替えてのろのろと身体をベッドに横たえる。

夢はまだ続いていた。

痛い。足が痛い。なんという痛みだ。

私は夢の中で悲鳴を上げていた。どうやら足にひどい怪我《けが》をしているようなのだ。

痛みと同時に、目の前に何かが浮かんでくる。

なんだろう、この数字は？

誰かが数字を書いている。繰り返し、繰り返し、同じ数字を紙に書き付けているのだ。

ようやく、それが月日を表す数字だと気付いた。

三月。三月十七日。

ほっそりした手は繰り返しその数字を書き続ける。

三月十七日。

この日付にいったいどんな意味があるというのだ？

私は口の中で繰り返した。

突然、目の前で雷鳴が轟《とどろ》いた。三月十七日。思わず全身が強張《こわば》る。

いつの間にか私は広い農園に立っていた。きちんと手入れのなされた、豊かな農園だ。

ゆるやかな丘には青々とした草が生えている。正面には林檎《りんご》の木。草の匂いが漂ってくるようだった。

空は暗かった。気まぐれな天気に、雲が激しく動いている。

よく見ると、大きな虹《にじ》がかかっていた。それも、二重の虹だ。

虹をくぐるように、白い鳥たちが飛んでゆく。それは何かを祝福しているように見えた。

私は胸が高鳴るのを感じる。心臓が激しく打ち、大声で泣き出してしまいたいような心地に襲われる。

やってくる。もうすぐ彼女がやってくるのだ。

私のエリザベスが。

その瞬間、夢の中で私は悟っていた。自分の運命を。自分とエリザベスとの運命を。

私たちはかつて何度もさまざまな場所で出会ってきたし、今度もまた巡り会う運命にあるのだと。

今や胸の中は爆発してしまいそうな歓喜でいっぱいだ。叫びたい。泣き出したい。

そうなのだ。彼女がやってくるのだ。あの虹をくぐって、私のエリザベスが。

光がパッと差し込んだような気がした。

そこに彼女がいた。

女神のような若い娘。笑顔を湛《たた》えた娘。

世にも美しい女が、白いドレスを着て小走りにやってくる。

その顔は喜びに満ち、愛する人に会う興奮で輝いている。

ああ、そうだ。私たちはまた出会うのだ。時のはざまで。誰かの巨大な意識の流れのほとりで。ただこの瞬間のためだけに、私たちは生を授かり、これまでの生を生きてきたのだ。

私は夢の中で大きく頷《うなず》く。自分の生の目的を納得し、了解し、確信した私は真の幸福を感じている。

夢の中で大いに満足しながら、私は更に熱に浮かされ、どろりとした深い眠りに落ちてゆく。

ようやく熱が下がり、起き上がれるようになった身体で、私はペンを走らせていた。病み上がりのせいもあってか、私は些《いささ》か虚脱状態に陥っていた。

窓の外には明るい空が広がり、小鳥のさえずる声が聞こえる。

ずっと看病をしていたエレンがお粥《かゆ》の皿を下げてくれた。ようやく私の回復を確認できたので少し眠ると言い置いていった。瘦《や》せた肩に疲労が滲《にじ》んでいるのが分かる。

そっとベッドを抜け出し、机に着いて最後に見たあの夢を書き、静かに日記帳を閉じる。

あの夢と自分の人生の意義を理解してからというもの、私は自分の中で何かが変わったような感じがしていた。

もう私の人生は残り少ない。しかし、もうすぐエリザベスが私の前に現れるのだ。

あの美しい女、時を超えた私の恋人が。

その瞬間をどうやって待てばよいのか分からなかった。少年のように胸を躍らせ、しかし鏡の中のおのれの姿を見て、このような年老いた身体で彼女に会ってどうなるのかと思ったりもした。

そうすると、この美しい田園での生活もどことなく色あせて見える。愛する妻も、絵のような黄昏も、小さな温室も退屈に思える。

彼女はどんなふうに私の前に現れるのだろう？　ある日突然家を訪ねてくるのだろうか？

それとも何かのアクシデントが二人を引き合わせてくれるのだろうか。

だが、その瞬間がやってくれば必ず分かるだろうという確信があった。

私はイライラしたり、わくわくしたりしながら日々を過ごした。

いつかは分からない。けれど、その日は近いうちに必ずやってくるのだ。その瞬間のことを考えると、いてもたってもいられなくなる。どんな顔をすればよいのだろう。どんな言葉を掛けたらよいのだろう。思いは乱れ、頰が熱くなる。

私は感情の高ぶるのを隠すことができなくなった。そして、それは私と妻との間に思いもよらぬ微妙な変化を起こさせた。

妻は私が何かに心を奪われていることを敏感に察した。

その何かの正体を知ろうとして、彼女は私を密《ひそ》かに観察するようになった。だが、これだけ多くの時間を共に過ごしているのに、彼女には私の心を彼女から奪ったものの正体をつきとめることはできないのだ。彼女が私の見ている夢を見ることは不可能なのだから。

一方で、こっそり監視を続ける妻の視線を、私は徐々に不快に感じ始めていた。同じ家の中で四六時中見張られているようなものなのだ。少しずつ、私の中に閉塞感《へいそくかん》と苛立《いらだ》ちが膨らんでゆく。

見えない亀裂《きれつ》が、すぐそばにいるのに二人を引き離していった。妻は、この状況にますます戸惑うばかりだった。そのことを知っていても、どうしようもなかった。

妻は心配そうに私の顔を見る。私の気持ちを読み取ろうとするのだが、彼女に私の心境の変化を理解できるはずもない。やがて彼女はおどおどするようになり、若い頃に見せていた怯《おび》えた少女の表情がちらちらと覗《のぞ》くようになった。その表情は私をますますイライラさせ、彼女を疎《うと》ましく思わせた。妻を愛しているのは確かなのに、この疎ましさは何だろう。彼女に感じる疎ましさは自己嫌悪《けんお》を引き起こし、その自己嫌悪がますます彼女を遠ざける。

いつしか私たちは一緒に散歩をしなくなっていた。

温室だけが彼女の手でぴかぴかに磨きあげられていく。

エレンは晩秋の午後を温室で過ごすのが日課となった。

私は一人、殺風景な散歩道を歩きながらエリザベスに会う日を夢想する。


ある晩、久しぶりにパブに行って帰ってくると、エレンが私の書斎から出てくるのに出くわした。

エレンは凍り付いたように私の顔を見つめる。

その瞬間、彼女が私の部屋で何をしていたのかを悟った。

あの日記を読んだのに違いない。

「何をしていた？」

ついつい声が詰問《きつもん》調になってしまう。

エレンは真っ赤な目をして顔を背けた。老いた薄いこめかみが醜く汚れて見える。

「何をしていた」

酔いも手伝って、声が知らず知らずのうちに大きくなる。

「誰なんです、エリザベスって」

エレンは堅い声で呟《つぶや》いた。

「日記を読んだな？」

「誰なんです、その女は。あなたは誰に心を奪われているんです？　私たち、二人きりで暮らしているというのに、どこからその女は紛れこんできてしまったんですか」

「黙れ！」

自分のものとは思えない声で怒鳴っていた。エレンは一言も口をきかずに、転がるように寝室へ駆け込んでいった。

エレンは温室で鉢植えを並べている。せっせと種を蒔《ま》き、よそから分けてもらった球根を植えかえているようだ。

私は書斎で本を読みながらエリザベスに会う日のことを考えている。

エレンとの間がこんなふうになってからも、私の頭の中は彼女のことでいっぱいだった。

一日も早くその日が来てほしい。そのあとはどうなっても構わない。その瞬間に命が尽きてしまってもいい。今あなたはどこにいるのか。なぜまだ私の前に現れてくれないのか。

ロンドンの、かつての教師仲間が細君を連れて遊びに来ることが決まった。

ディナーの用意をするために、久々にエレンと言葉を交わし、打ち合わせをする。しかし、言葉は空回りし、どこか他人行儀なのは否《いな》めない。

揃《そろ》いの食器を出そうと、台所の作り付けの戸棚の扉に手を掛ける。が、鍵《かぎ》が掛かっていた。私は小さく舌打ちする。

「エレン、食器棚の鍵を貸してくれ」

「食器棚の鍵？」

シチューを煮ているエレンの声が聞こえる。

私は声を張り上げた。

「ほら、台所の隅の」

「ああ。それは出窓のゼラニウムの鉢の中にあるわ。子供の頃からずっとそうしてたでしょ。ほら、ジョンがいつか割ってしまったことが」

ぱきん、と何かが割れる音がした。

私はハッとして妻を振り向く。

台所の床の上で白い皿が粉々になっていた。

「大丈夫か？」

慌《あわ》てて駆け寄るが、妻の表情に気付いて立ち止まる。

いつか見た表情。凝固したような、時間が止まってしまったような顔。

その表情を見て、私も気が付いた。

「エレン、今きみは何と言った？」

エレンは自分の口に手を当て、目を大きく見開いていた。

「いたんだわ」

エレンはぼそりと呟いた。私は自分の耳を疑う。

「え？」

エレンはぶるぶると震え出した。

「わたし、この家に住んでいた」

「この家に？　まさか。だってきみはロンドンの出身だと」

「今まで忘れていたのよ」

「忘れていた？」

「そうよ。思い出したのよ。思い出したんだわ！」

エレンは私にしがみつき、激しく泣きじゃくり始めた。

「私は八歳までの記憶がないの――どうやら事故に遭ったらしいのね。ロンドンの町外れで頭を血だらけにして道端を歩いているところを、通りかかった馬車に助けられたの。自分の名前すら分からずに、病院に入れられた。怪我《けが》は治ったけれど、記憶は戻らなかったわ。私はどうしていいか分からなかった。助けてくれた商人は親切な人で、新聞に広告を出してくれたけれど家族はとうとう見つからなかったの。それで、彼のお客さんで子供ができなくて欲しがっていた夫婦を紹介してくれたのよ。それが今の両親。両親は私をとても可愛《かわい》がってくれたわ。私も本当の親のように思っている。でもいつも不安だった。自分はどういう人間なのか。私の家族はどこにいるのか。私はなぜ怪我をして記憶を失ってしまったのか」

エレンは泣き疲れた顔で静かに話を続けていた。

ウイスキーをお湯で割り、私たちはちびちびと舐《な》めていた。

こうしてテーブルを挟んでゆっくり話をするのは久しぶりだった。

心の中にあったわだかまりが氷解していくのを感じる。

なるほど。だから両親も彼女も子供時代の話をしたがらなかったのだ。だから、彼女は時折あんな不安そうな顔をしたのだ。

「時々何かを思い出しそうになるの。あなたも気付いていたと思うけれど、夕暮れの空を見ていると、何かが記憶の底から浮かび上がってくるような気がするのよ」

　エレンはかすかに身震いをした。

　私はそっと手を伸ばし、テーブルの上で組まれた骨ばった彼女の両手を包んだ。

　エレンは小さなため息をついた。

「初めてこの家を見た時、もう思い出し始めていたんだと思うわ。あの時も夕暮れ時で、家が夕日に輝いていて――私、なんだか一人でそわそわしていたでしょう？　自分でもよく理由が分からなかったの。なぜこんなにおかしな気持ちになるんだろうって。カーテンの件も、あなたに言われるまで気付かなかった。恐らく、あのカーテンを縫い始めたのはあなたが家を探しに行くというこの村の名前を聞いた時からだわ。名前を聞いて、もう私は自分の家を思い浮かべていたのね。あの出窓にカーテンを付けなくちゃ、と無意識のうちに考えていたのよ。そして――そして、あの食器棚の鍵も。ゼラニウムの鉢に鍵を入れていた弟の手が浮かんで――ジョン。そうよ、ジョンという弟がいたのよ」

　エレンは声を震わせた。

　私は手に力を込める。

　こんなに長い間一緒に暮らしていて、このような話を聞こうとは夢にも思っていなかった。彼女はずっと一人で苦しんでいたのだ。こんな素性を話したら、結婚できないと思っていたのかもしれない。彼女は記憶のない過去にずっと怯えていたのだ。

「あとのことは思い出せないのかい？　ご両親のことは？　事故のことなんかも？」

私は思わず興奮して、畳み掛けるように質問を浴びせてしまった。

エレンが絶句しているのに気付き、慌てて座り直す。

「済まない。まだ混乱しているというのに」

「いいえ。ようやく落ち着いてきたところよ。でも、まだこれだけ。自分にはジョンという弟がいて、この家に暮らしていたということ。ゼラニウムの鉢に食器棚の鍵を入れていたこと。両親がいたことはぼんやり覚えているけれど、記憶を失った時のことはまだ全然浮かんでこないわ」

エレンは顔を上げてじっと私を見た。やつれてはいるけれど、確かに彼女は落ち着きを取り戻しつつあった。もうあの怯えた表情はどこにもない。彼女は失われていた自分自身を取り戻しつつあるところでもあるのだ。

「きっときみの両親のことを覚えている人がいるはずだ」

エレンは緊張した面持ちで小さく頷《うなず》いた。

「牧師館に行ってみよう」

光の差し込む落ち着いた部屋の中で、人の良さそうな牧師は驚きを隠しきれなかった。せわしなく指を組み替え、遠慮がちにエレンに目をやる。

「まさか、そんな。あなたがあのブラッドレイさんの娘だなんて」

私たちはじっと彼を見つめ、自分たちの話が冗談ではないことを理解してもらえるまで待った。

「私たちも驚いているんですよ。どうか、村の人たちには暫《しば》く内密に願います。様子を見て、時期が来たら私たちの口から説明するつもりでおりますから」

「そうでしょうとも、そうでしょうとも」

牧師はまだ驚き覚めやらぬ様子で何度も頷いた。

「そうは言っても、私もそんなによく存じ上げていないのですよ、ブラッドレイさんのことは。何しろ、あの人たちは引っ越してきたばかりであの災難に遭ったのです」

牧師は小さくため息をついた。

「災難？」

私たちは身を乗り出した。

「ええ。ブラッドレイさんはたいへん園芸がお好きな方で、趣味が高じてこの村に家を持ち、庭に大金を注ぎこんだのです。商売はロンドンで、庭仕事はここでと、行ったり来たりできるようにあの家を建てたのですね。いろいろ珍しい植物を集めていたらしい」

それはあの温室や広い庭を見れば頷けた。

「綺麗《きれい》な奥様と、小さな子供が二人。姉と弟でした。まだ名前も聞いていませんでした。次週はいよいよ村で挨拶《あいさつ》回りをしようという時、ロンドンの家に戻る途中で強盗に襲われましてね」

強盗、という言葉にエレンがびくりとするのが分かった。

「それは無残な殺されようで。棍棒《こんぼう》で何度も頭を殴りつけられたようです。馬車の中は血まみれで、荷物を奪ったあとで崖《がけ》の下に馬車ごと突き落としたのです。人気のない場所だったので、遺体が発見されたのは半年も経《た》ってからでした。野犬や鳥が入り込んでついばんだので、遺体は三人分しか見つかりませんでしたが、一人はどこかに引きずり出されてしまったのではないかという結論が下されたようです」

「じゃあ、エレンは」

「恐らく、途中で馬車から放り出されたのでしょう。先を急いでいた強盗たちは、子供にまだ息があることに気付かなかったんでしょうね。襲われたのは夜でしたし」

エレンは見る見るうちに震えだし、その落ち窪《くぼ》んだ目から涙がとめどなく溢《あふ》れ出た。私はすすり泣く彼女の肩を引き寄せる。肩の細さが痛々しかった。

彼女がひったくりに遭ったあとであんなに怯《おび》えたのも理解できる。かつて強盗に襲われた記憶は、身体《からだ》のどこかに残っていたのだ。

「ですから、あの家はすぐに無人になってしまったのです。そのまま庭も荒れ放題になってしまって」

「そこに、こんなに時間が経ってから、私たちが」

思わずため息のような声を漏らす。

「神のお導きですね。こんな偶然が起きるとは、本当に驚きだ」

牧師は感きわまった表情で何度も頷いた。


私とエレンは半ば放心状態で帰り道を歩いていた。

太陽が空で輝き、初冬の村を照らしている。

すっかり辺りの風景が違ったものに見えた。

運命。

私の運命。エレンの運命。何か不思議なものに導かれて、二人はここにやってきたのだ。

いつのまにか、夢の中の女はどこか遠くへ行ってしまっていた。夢の女がどうだというのだろう。こうして今、目の前に私と妻は自分の運命を手に入れているのだ。

白いドレスの女は、最早《もはや》私の心に何も訴えかけてこなかった。

彼女は私の前に姿を現すのだろうか。そんな日が来るのだろうか。この歳《とし》になるまで何もないということは、あれはあくまで夢に過ぎなかったのかもしれない。別の人生で私を訪れた彼女を夢に見ただけで、今回の人生には彼女の現れる必要はなかったのかもしれないのだ。

夢の中に出てきた女に会う日を夢見て、一人で舞い上がっていた自分がこの上なく愚かに思えた。それだけではない。一人で苦しんでいた妻を傷つけ、平穏な暮らしを自《みずか》ら放棄してしまった自分が、図々《ずうずう》しく妻にすり寄ろうとしていることが情けなくなった。

私はチラリと隣を歩くエレンを見た。

エレンは、まだあの日記帳のことを覚えているだろうか。私の夢想を気に掛けているだろうか。

胸の中にチクリと痛みを感じた。私はひどく彼女を傷つけてしまった。これからの日々を、私たちは以前のように過ごせるのだろうか。

完全ではなかったが、和《なご》やかな日々が戻ってきた。私たちは再び深い結び付きを取り戻していた。心のどこかにあの日記帳が引っ掛かっていたとしても、かなりの部分が回復してきていると信じたかった。

エレンは二度とあの怯えた表情を見せることはなかった。自分の存在に対して不安を感じることがなくなったからだろう。

朝晩二人で庭を散歩し、温室の手入れをした。

私はかすかな怯えを感じた。

もし、今エリザベスが目の前に現れたら。あの輝くような笑みで私の前にやってきたら。

そうしたら、私はなんと答えたらよいのだろう？　どんな顔をすればよいのだろう？

あんなに待ち兼ねていた日が、今の私には重荷にすら感じられる。私は今の生活に満足している。妻との日々が一番大事なのだ。この生活を引き裂かれたら、その後はどうやって生きていけばいいのだろう？　運命の相手である彼女に出会って、心を奪われたとしてもその後にはつらい別離がやってくる。その衝撃のあとに、エレンは再び私を受け入れてくれるのだろうか？　再び彼女と暮らしていくことができるのだろうか。

私は怯えていた。彼女の来訪を。彼女との邂逅《かいこう》を。私は、少年じみた夢想に溺《おぼ》れて妻を傷つけた自分を信じることができなかった。

この冬初めての雪が降った。

やがて、雪はこの庭を覆《おお》い、真っ白に埋めるだろう。

すっかり庭はがらんとし、石畳は温室までの道を作った。

木々は裸の梢《こずえ》を揺らし、木枯らしに耐える準備を整えている。

それでもまだ私のエリザベスは現れなかった。運命の女神。定められた出会い。窓の外の枯れた庭を眺めながら、これは罰なのかもしれない、と私は考え始めていた。

こうして怯えながらエリザベスを待つことが、妻を傷つけた私への罰。これも定められた運命の一つなのかもしれない。

私たちは小鳥のように穏やかに暮らしていた。

エレンはもう不安な表情を見せることはなかったが、むしろぼんやりしていることが多くなった。声を掛けても、暫く経ってから気が付くということが続いた。

「エレン？」

私が心配そうな声を出すと、彼女は照れたような顔で無邪気に笑った。

「不思議ね。このところ子供の頃の夢ばかり見るわ。弟と遊んだ記憶とか、庭を駆け回った記憶とかが、何かの拍子に身体の中いっぱいに広がるの。ちょっと気を抜くと記憶の中に吸い込まれそうになるわ」

そう答える彼女が少し遠くなったような気がして、私は不安を覚えるのだった。

これも私に科せられた罰なのだろうか。


ある寒い朝、私は発作を起こした。

早朝目覚めて起き上がろうとした瞬間、胸にナイフを刺されたような痛みを感じたのだ。

一瞬息ができなくなり、このまま倒れてしまうのではないかと思った。

一人胸を押さえて息を止め、永遠とも思える時間を待ったあと、ふっと痛みが消えた。

全身から力が抜け、どっと冷や汗が背中を伝う。

エレンは隣で静かに眠っていた。

私はそっと彼女の顔を覗《のぞ》きこむ。

私は予感を覚えた。これから先、何度もこの痛みが自分を襲ってくることを。そして、やがてはその痛みが自分から全《すべ》てを奪うことを。そして、ある朝エレンは自分が一人で眠っていたことに気付くのだ。


もう彼女の夢を見ることはなかった。

私はめったにあの革の日記帳を開くことはなくなった。

彼女は私を訪れるのだろうか。本当に、残り少ない時間の中で彼女に会う瞬間は訪れるのだろうか。そのことを考えると、諦観《ていかん》じみた境地にある自分の心が不思議だった。

現れても、現れなくてもいい。それすらも、今では私の運命の一部なのだから。

冷たい雨が夜半に降り始め、やがて音がなくなった。雨は雪に変わったのである。

夜中に私はうめき声で目が覚めた。自分の声かと思ったが、身体は何ともない。それはエレンの口から漏れていた。

私はゾッとして飛び起きた。

彼女はひどくうなされている。

そのデスマスクのような顔を見たとたん、圧倒的な孤独が込み上げてきた。先に行くのは彼女かもしれない。明け方ふと目覚めて、一人で眠っていたことに気付くのは私かもしれないのだ。

それは絶望に似た恐怖だった。全身から力が抜けてしまうような恐怖、どこかに逃げ出してしまいたいような恐怖。

気が付くと私はエレンを揺り起こしていた。

エレンは青ざめた顔でハッと目を覚まし、目の前にあるのが私の顔だと気付くと、奇妙な目付きで私を見た。それは、まるで他人を見るような目で、そのことが私をひどく傷つけた。

「——エドワード？」

エレンは低く呟《つぶや》き、まじまじと私を見つめた。その射るような目付き。咎《とが》めるような目付き。

私はその視線に耐えられなくなった。

そっと目をそらす。口の中が苦いものでいっぱいになる。

やはり、私たちは駄目なのだ。回復できたと思ったのは私のうぬぼれに過ぎない。

今でも彼女は私を許していなかったのだ。

「ずいぶんうなされていたぞ」

私はかすれた声でそう言うと、さりげなく顔を背けてベッドの中にもぐりこんだ。

だが、私は激しい喪失感に身体が沈みこむのを感じていた。今夜自分が決定的な何かを失ったことを、私は絶望とともに悟っていたのだ。


翌朝は雪も上がっており、素晴らしい晴天だった。

庭を真っ白に覆い尽くした雪が、きらきらと太陽に輝いている。

私はやけに静かな気持ちで目覚めた。

隣を見ると、エレンは既に起き出していた。

紅茶の匂《にお》いが漂っている。

「今朝は温室でお茶を飲みましょうよ。外はとても暖かいわ」

エレンの落ち着いた声を聞き、私はその時が訪れたのを知った。

「それはいいね」

私はにこやかに頷いてみせた。

私たちはゆっくりと、石畳の上の雪に足跡を付けながら小さな温室に向かって歩いていった。

温室の中は楽園のように暖かかった。

まるで別世界のようだ。

私たちは、小さな折り畳みテーブルを挟んで向かい合った。

ふと、私は既視感を覚えた。どこかでこんな体験をしたような。

香り高い紅茶がカップに注がれる。

エレンは静かにカップを私の方に寄越した。

私は背中がすっと寒くなるのを感じた。

いよいよだ。これからエレンは私に別れを告げるに違いない。私は一人でこっそりとロンドンに舞い戻ることになるだろう。彼女は一人、この子供の頃に暮らした家で生きていくのだ。

自分を待ち受ける孤独な歳月が目に見えるようだった。

「エドワード」

エレンは荘厳《そうごん》な声で口を開いた。

私は思わず目を伏せて彼女にてのひらを向けていた。

「分かっている。きみの言いたいことは。僕が悪かった。全て僕のせいだ」

私は低く呟いた。あきらめてはいたが、やはり胸が痛い。

「違うのよ、エドワード。私の話を聞いてちょうだい」

エレンは穏やかに、しかしきっぱりと言った。

恐る恐る顔を上げて彼女の目を見た。

その瞳《ひとみ》にはなみなみならぬ決心が浮かんでいる。

私は気圧《けお》されて黙り込んでしまった。

「——私は夢を見たわ。このところ、ずっと夢を見ていたの」

エレンはどこか遠い目をして話し始めた。

「夢の中でいつも出会う人がいたの。黒髪の、背の高い男のひと。とても素敵なひとだったわ。いつも私を助けてくれるのよ。彼はいつも私の夢の中で泣いていたわ」

私はハッとして彼女の顔を見た。

エレンは私の顔を見ていない。

その皺《しわ》だらけの小さな顔の中の目は、私を通り越してずっと遠くを見ている。

「私はそのひとを愛していた。ずっと昔から。ほんの少ししか会えないひとなのに。いつも悲しい別れが二人を待ち受けていると知っていたのに」

私は自分の身体《からだ》が震え始めたのを感じていた。

まさか。まさか、そんなことが。

「私たちはいつも出会う。時を超えて、場所を超えて。その短いひとときのために自分の人生を生きてきたの」

「エレン。きみは」

エレンの目が赤くなった。彼女の薄い、乾いた唇が震えている。

「馬鹿《ばか》ね。なんて私は馬鹿な女だったの。私はずっと自分の記憶を失っていたの。本当の私。本来あるべきだった私の記憶を。私、夢を見たわ。弟と遊んでいる夢。何度も弟に私の本当の名前を呼ばれていたのに、なぜ気付かなかったの。私たち、こんなに長い年月をずっと一緒に過ごしていたのに。こうして添い遂げようとしているのに。こんなにも愛しあっていたのに。こんなにすぐそばにいたのに」

彼女の目から涙が流れ出した。そして、恐らく私の目からも。どうしようもなく心が震え、身体が震えるのをとどめることはできなかった。心を満たす熱いものが身体のどこからか静かに流れ出している。

そうだ。私は見た。

この光景を。

私はかつて夢に見た。

私の恋人を。私の運命を。こうして温室で向かいあい、逆光に輝く彼女の銀髪を。

「——私の本当の名前は」

その言葉の続きを聞く前に、私は立ち上がっていた。

もうその続きを聞く必要はない。

私たちは運命を手に入れた。もう決して手放したりはしない。これは私たちの運命。他の誰のものでもない。それが今こうして、確かにお互いの腕の中にあるのだから。

プロムナード

一九七八年　ロンドン

「ああ、伺ってますよ。ミス・ボウエンですよね」

そう管理人が頷《うなず》いた時、エリザベスは自分の耳を疑った。

「え？」

そう聞き返したのにも気付かぬ様子で、管理人は大きな鍵《かぎ》の束を取り出した。

「いやあ、何度も警察の人が来てね。でも、捜査は一通り終わったらしいんで、もう大丈夫ですよ」

エリザベスは頭が混乱するのを感じていた。

たまたま近くに来たので、ついでにこうしてネイサン教授の家を訪ねてみただけなのに、なぜ管理人は私のことを知っているのだろう？

「なんだかよく分からないですけどね。私は先生に頼まれたことをしてるだけで」

どうやら、昼間からきこしめしているらしい。

彼が頭を下げるとぷんとウイスキーの匂いが漂ってきた。

管理人はがちゃがちゃと鍵を探した。古いキーホルダーには奇妙な紋章が刻まれている。

彼女の視線に気付き、管理人は訳知り顔に頷いた。

「ああ、これね。変わってるでしょ？　ネイサン先生のお手製なんですよ。なんでも、お守りだとおっしゃって、私にくだすったんです」

「へえ。お守りですか」

彼女はその紋章に目が吸い寄せられた。一角獣と、布をかぶった人間のようだ。

奇妙な意匠である。あとで社の資料を調べてみよう。

家の中は既にかびくさくなっていた。主《あるじ》のいない部屋というのは、たちまち人間の気配を失ってしまうものだ。

本当に教授はいなくなってしまったんだわ。

エリザベスは改めてそのことを実感した。

「ほらね、これでしょう？」

管理人はさんざん出入りしたらしく、勝手を知っている様子でぱたぱたと階段を上がり、上の部屋から白いハンカチーフを持って降りてきた。

エリザベスはぽかんとする。

ぽかんとしている彼女を見て、今度は管理人が怪訝《けげん》そうな顔をした。

古いレースのハンカチーフは、しっかりとした生地でできていた。

エリザベスはそっとハンカチーフを受け取り、その隅にある縫い取りに目をやる。

from E. to E. with love

エリザベスは首をかしげた。

「ね、これで満足でしょ？　はい、出た出た」

管理人は用件が済んだとばかりにエリザベスを追い立てた。

「あ、あの。ネイサン教授はこれを何だと？」

エリザベスは恐る恐る尋ねた。

管理人はなんだというようにしげしげと彼女の顔を見る。再びウイスキーの匂いが漂ってきて、エリザベスは思わず息を止めた。

「もしボウエンという女の人がここを訪ねてきたら、このハンカチを渡してくれと言われたんですよ」

「このハンカチを、私に？」

「ええ。これで私の役目は終わりましたよ。じゃ、私はこれで」

管理人はそそくさと姿を消し、エリザベスは家の外にぽつんと残された。

フロムＥトゥＥ。

エドワードからエリザベスへ。

そんな言葉が脳裏に浮かんだ。

あのにこやかな、ネイサン教授の姿も。


「はじめまして、先生。お目にかかれて光栄ですわ。エリザベス・ボウエンです」

彼はゆっくりと椅子《いす》から立ち上がった。

じっとエリザベスを見つめているその瞳に、何か暖かいものが溢《あふ》れ出す。

それはほとんど感無量と言っていい表情だった。

エリザベスはきょとんとして彼の顔を見ている。なぜ彼がそんな表情を自分に見せるのか分からなかったからだ。

「――思った通りだ」

教授は小さく呟いた。

エリザベスは思わず耳を澄ませたが、何が思った通りなのかはよく分からなかった。教授はやはりじっと彼女のことを見つめているので、エリザベスはどぎまぎした。その表情を見て、彼は何かに気付いたかのように小さく笑った。

「ああ、そうだったね。きみは今日私に初めて出会ったんだね」

はあ、とエリザベスはあやふやな返事を返した。

「やあ、ついつい懐《なつ》かしくなってしまってね。じゃあ、仕事にかかりましょうか」

教授は照れたように笑うと、エリザベスにもう一つの椅子を勧め、自分も腹の上で手を組んで椅子の上に座り直した。

「はい、それでは教授の生い立ちからお伺いしたいのですが」

エリザベスはホッとしたように、メモを取り出して話し始めた。

教授は話し上手で、エリザベスをリラックスさせてくれた。彼女もだんだん乗ってきて、インタビューは気が付くと二時間近く経《た》っていた。

その気さくな話し方、穏やかで理知的な表情、そして教授の真摯《しんし》な学問への半生を聞くにつれて、エリザベスは強く彼にひかれていくのを感じていた。

なんて素晴らしい男性なのだろう。こんなに高齢なのに、なんて美しくチャーミングな男性なんだろう。

その瞬間、ほとんど彼女は彼に恋していたと言ってもよかった。

「素晴らしいお話を聞かせていただいてありがとうございます。この日のことは、私、一生忘れませんわ」

エリザベスは顔を紅潮させ、目を輝かせて教授に握手を求めた。

教授はそっと彼女の手を握り、彼女の目を見つめた。

その目に複雑なものが浮かんでは消えた。

「——そうでしょうとも」

その口調にこめられた何かを感じて、エリザベスも教授を見つめ返す。

「そうでしょう。私もそうでした」

ため息のように教授は呟《つぶや》いた。

エリザベスは言葉の先を促すように教授の顔を見る。

教授はかすかに微笑《ほほえ》みを浮かべた。

「あの日、私は初めてあなたに出会った。あの、興奮した群衆が埋め尽くしていたハンワース・エア・パークで」

教授の目が遠くなる。ぽつぽつと零《こぼ》れるように言葉が漏れだしてくる。

「あれは、歴史的な日でした。みんなが熱狂していた。アミリア・エアハートがブラックプールから移動してくるのを、今か今かとみんなが待ち構えていたんです」

アミリア・エアハート。有名な女性飛行士だ。いったい何年前の話だろう？

心の中には疑問が渦巻いていたし、教授の話に面くらっていたけれども、それでもエリザベスは教授の目から自分の目を外すことができなかった。聞かなければならない。あたしは今、この話を聞かなければならないのだ。

「けれど、私は一人ぽっちでした。なぜあんな場所に向かったのかは分かりません。家族を失い、恋人に裏切られ、行くあてもなく、一人でうろうろとあの中を歩き回っていたんです」

教授の目の中に暗いものが流れた。

「あの日、私は死ぬつもりでした。一人で、死に場所を求めてあちこち歩き回っていたんです。夢も希望もなく、学問への道を絶たれ、私は絶望していました。けれど、ひっそりとどこかで死ぬこともできず、あんなに大勢の人がいるところにいつのまにか引き寄せられていた」

一瞬その目は閉じられ、やがて穏やかな色で開かれた。

「そこで、私はあなたに出会ったんです。あなたは私に会いに来てくれた。必死に力をふり絞り、私を助けるためにあの場所に来てくれたんです」

なぜか泣きたいような気持ちになる。

「どんなに嬉《うれ》しかったか。どんなにありがたかったか。ありがとう。あなたのお陰で今日の私があります。ありがとう、エリザベス」

ふっと彼の全身から力が抜けるのを感じた。

教授はだらりと椅子に沈みこんだ。

エリザベスは戸惑いながらも立ち上がった。

「お目にかかれて本当に嬉しかったです」

そう呟くと教授は静かに笑った。

「そう言いたいのは私の方です。お元気で。またいつかお目にかかりましょう――私のライオンハート」

わたしのライオンハート。

エリザベスはコートのポケットに白いハンカチーフを握り締め、寒い街を歩いている。

ネイサン教授はどこへ行ってしまったのだろう。確かに、今思い出してみるとあの時の彼は、何かを覚悟していたような気がする。彼は何を覚悟していたのだろう？　彼は自ら姿を消したのだろうか？　何のために？

——誰かに会いに行ったのだ。

突然、そんな考えが頭に浮かんだ。

彼は、時を超え、空間を超えて、会いたい誰かを探しに行ったのだ。だから教授の肉体はもうこの世界には存在しないのだ——

そんな馬鹿《ばか》げたことを考えていたことに気付き、エリザベスは一人で舌を出し、赤くなっていた。

何いい歳《とし》してそんなこと考えてるのよ。

エリザベスは足を早める。

でも、また会えそうな気がする。あの美しいひと、チャーミングな男性に、いつかどこかで、またばったりと顔を合わせる日が来るような気がするのだ。

どうしちゃったんだろ、今日は。やたらとロマンチックな気分。

エリザベスは一人でにやにや笑いながら雑踏の中を歩いていく。

レコードショップの前を通りかかると、艶《あで》やかな女性ボーカルの歌声に足を止められた。

おお、イングランド。

わたしのライオンハート。


あら、ケイト・ブッシュのセカンド・アルバムだわ。

店の中に積まれているレコードを覗《のぞ》きこむ。

忙しくて買うのを忘れてた。

「嵐《あらし》ヶ丘」の大ヒットは記憶に新しいところだったが、彼女はセカンド・アルバムの「ライオンハート」の方が気に入っていた。ますます彼女らしく、ブリティッシュ・ロックらしい。店の中のスピーカーから流れてくる、アルバムタイトルにもなっている「ライオンハート」を口ずさむ。

ついでだ、ここで買っていこう。

エリザベスは店の中に入った。

数分後、彼女はネイサン教授のことなどすっかり忘れていた。

レコードの包みを脇《わき》に抱えて、冬の街を歩き出す。

彼女の歳月に向かって。彼女の未来に向かって。

一人の若い女は、恋人が待つカフェを目指して軽やかに人込みの中へと消えていった。

あとがき

かつて東京音楽祭というイベントがあって、一時期毎年TVで放映していた。

私は中学生の時、その番組でイギリスから来たケイト・ブッシュが「MOVING」を歌うのを聴いて衝撃を受け、彼女のデビュー・アルバム「THE KICK INSIDE（邦題・天使と小悪魔）」を買いに行った。それ以来のファンである。セカンド・アルバム「ライオンハート」は実に彼女らしい傑作であり、この「ライオンハート」というネーミングに昔から不思議なニュアンスを感じていたので、いつか小説のタイトルとして使ってみたいと思っていた。

いっぽうで、私はメロドラマを書きたいと思っていた。メロドラマと言えば擦れ違いであるが、きょうび擦れ違いをやるのは難しく、成立するのはSFしかないと思っていた。

ある日、東京都美術館にテート・ギャラリー展を見に行ったら、一枚の絵がパッと目に飛び込んできた。「エアハート嬢の到着」という横長の絵で、見た瞬間、この絵がSFメロドラマ「ライオンハート」という小説の一場面であることが分かった。

そこからスタートして、できた話がこれである。この話はケイト・ブッシュの「ライオンハート」が発表された一九七八年から始まる。これが全《すべ》てのキー・ポイントである。また、この小説はロバート・ネイサンの「ジェニーの肖像」への個人的なオマージュでもある。だから、主人公エドワード・ネイサンの姓は当然彼から貰《もら》った。ついでに言うと、エリザベス・ボウエンはイギリスのゴシック・ロマン作家から貰った名前だ。英国王室史を読んでいたらエドワードとエリザベスがうじゃうじゃ出てきて頭が混乱した。

英語にも歴史にも弱い私はいろいろな人のお世話になってこの小説を書いた。皆さん、本当にありがとうございます。紋章学については、森護氏の著作を参考にさせていただいた。また、この小説を書くために読んだアイザック・アシモフの「世界の年表」(丸善)は思わぬ収穫だった。この本は破天荒な傑作である。なにしろ、博覧強記のアシモフが、宇宙の誕生から第二次世界大戦終了までの歴史を一冊で書いた本なのだ。私と同様、歴史の苦手な方に是非一読をお勧めする。

二〇〇〇年十一月

恩田　陸

妄念の淵《ふち》に沈む輪廻《りんね》

梶尾真治

心ない大人の言葉が、幼児の心に精神的裂傷となっていつまでも残ることがある。本人は、ちょっとした悪ふざけで言い放ったものにちがいない。その数瞬後には言ったことさえ忘れている。

「おまえは、本当は、ここの子供じゃないんだよ。近くの橋の下に捨てられていたんだ。男の子と女の子と。二人捨てられていたんだが、男の子の方だけ拾われてきたんだよ。男の子の方が育てやすいってことでね」

わが家は、大家族だった。両親の他に祖父母がおり、六人の叔父叔母が同居していた。初子である私は、全員から溺愛《できあい》されると同時に、心ないイジメの対象にもなっていたのだ。

いい気になってワガママをとおしていた私に冷水のような、その科白《せりふ》をあびせたのだ。

当然、ものごころつくかつかないかの幼児は、すさまじいショックを受けた。腹痛をおこし、高熱が二日続いた。何かに脅《おび》えていると、両親や祖父母は感づき原因を探ったが、私は、誰が何を言ったかの類《たぐい》は、絶対に口にしなかった。

何故、自分が拾われてこの家に育つことになったのか、もう一人いたという女の子は、どうなったのかという口に出せない疑問が、何度も何度もエコーのように幼い日の私の心の中に現れた。

そのとき、同時期に心の中に「運命」という概念が生じたのではないかと思う。橋の下から拾われた自分。拾われなかった女の子。姉さんだったのだろうか。妹だったのだろうか？　どこで、どんな生活をしているのだろう。それよりも、生きているのだろうか。

数年が経過し、小学校を出る頃には、そんな幼児期のトラウマとは訣別《けつべつ》することに成功していた。ただし、そのような「橋の下伝説」で別れたっきりの妹とは、どんな人物かという想像する楽しみに変化してはいたのだが。

長い前置きになってしまった。だが、筆者のそんな前提を知っておいて頂いた方がいいと信じたから記したまでのことだ。

数十年が経過した。

その間に私は、小説を書きはじめた。

野暮で、がさつで、ひたすらあわただしい、家族を養うための昼間の本業とは別に。自分が自分であり続けていることを確認するために、遅筆ながら、想像力を文字に置きかえる作業に没頭していた。専業ではないから、本当に自分が書きたいと思った話だけを、読みたいと思った人だけのために書ければいい。そんなスタンスだ。

かつて、自分が青春時代から読み続けてきた書物群で、私に忘れがたい感動を残してくれた愛すべき作品たち。その同質の感動を私なりに創造できないかという葛藤《かっとう》。その目論見《もくろみ》が果せたかどうか、書きあげるたびに自問する日々。書けなくなることも。

書かないときは、好みに合いそうなものを探して読む。ひたすら読む。充電が終り、書けそうだと見極めをつけたら、また書く。そのサイクルを繰り返す。

書けないとき、読みはじめたら先《ま》ず、凄《すご》い小説にアタることを祈る。そうすれば、自分が本当に小説好きであることが確認できるから。ただ、自分の小説が拙《つた》なく思えて、とてもすぐには書きだせない。

それでも読み続ける。それからは、あまりたいしたことのない三文小説であることを祈る。これなら、「俺でも書ける。俺の方が凄い！」と奮起できるからだ。

そして書きはじめる。

恩田陸さんの小説を初めて読んだのは『光の帝国——常野《とこの》物語』だ。図書館から借り出してきた数冊のうちの一冊だった。もう、五、六年も前になるだろうか。

短篇集か。三時間ほどで読めるか……。そしたら勢いをつけて執筆にかかろうか。

そんな軽い気持だった。

「大きな引き出し」という、最初のエピソード。な、何だこれは。完璧《かんぺき》な短篇じゃないか。涙ぐんだ。本を、まるごと記憶してしまう超能力をもった一家にまつわる話だ。くわしくは書かない。読んでない人は、読みなされ。

とにかく、打ちひしがれた。喰い入るように読み続けた。世の中で目立たぬようひっそりと生き続ける不思議な能力を持つ一族を描いた連作集だ。

その日、予定していた短篇の書き出しは延期させられた。とても、自分が書く気にはなれなかった。書かなくても、ここに、完璧な短篇群が存在しているではないか……。何も書こうという気は起らない。

これから書こうという気を起しかけているものにとっては、最悪の本を選んでしまったわけだ。

連作群は、しかも様々なテイストと切り口を持っていた。そして読み終える作品に、

「なつかしさ」が存在する。その「なつかしさ」の正体を見極めようと、再読した。巷《ちまた》でよくいわれるゼナ・ヘンダーソンのピープルシリーズにインスパイアされたものだという説もわかるが、この「なつかしさ」は、それだけではないような気がした。

その正体を知りたいもどかしさの呪縛《じゅばく》から解放されるのは、もっと後のことだ。翌日、本屋へ出かけて、買い漁《あさ》った。『六番目の小夜子』『不安な童話』……だったか。

みずみずしい幻妙さに感心したものの、この多面体の作家の見極めには、及ばなかった。まるで虹の立つ場所へ駈《か》けていったようなものだった。

それから、またしばらく時が流れる。

『月の裏側』を読む。

仰天した。

何故、仰天したかというと、そのとき私は、『黄泉《よみ》がえり』の新聞連載を終えて、単行本用の加筆作業に入っていた頃だ。

『月の裏側』は九州の水郷、柳川らしき地方都市での、未知の存在による侵略を詩的に描いた作品だ。この作品は、ジャック・フィニィの『盗まれた街』にオマージュを捧《ささ》げたものだった。

実は、『黄泉がえり』も、基本アイディアは、ジャック・フィニィの『盗まれた街』なのである。戦略は同じだが、戦術においては、まるで逆方向。しかし、表裏一体なのだと思う。『光の帝国』と同質のなつかしさを、このときも感じた。

ひょっとして……。このなつかしさの正体は。

椅子《いす》に沈みこんで、非常に突飛な連想が始まった。

冒頭に記した幼児の頃のトラウマだ。妄想であることはわかっている。

ひょっとして……本当に私が橋の下から拾われてきたのだったとしたら……残された女の子というのは、この人だったのではないか。

直感的なものだ。

私と、この人は血を分けた兄妹ではないのか。

きっと同じような読書傾向を持って青春時代を通り過ぎた人なのだろう。だから、読んでいてなつかしさを感じる。そのなつかしさに入れこんでしまい、トラウマ体験さえ目醒《めざ》めさせてしまった。著者略歴を見るがいい。そんなことは妄想だとすぐわかるではないか。そう自分に言い聞かせる。理の部分では、そうだと呟《つぶや》いている。だが、どこかで翔《と》んでいる自分は、ひょっとしてと、叫んでいる。

さぁ、本書『ライオンハート』だ。

不思議なことに、ある日気がつくと、私の手許《てもと》にこの本はあった。そしてページをめくろうとしたとき、正直、私は運命的なものを感じていた。数年後、この本が文庫になるとき、解説を書くのは私ではないのか？

編集部から依頼をうけたとき、何の不思議も感じなかった。何だか、遠い遠い昔から決まっていたような気がしてならなかったからだ。

私もタイムトラベルテーマの話が大好きだ。厳密にはタイムトラベルテーマとはいえないが、いつも引き合いに出す大好きな話に、ロバート・ネイサンの『ジェニーの肖像』がある。出会うたびに成長していく不思議な少女とのラブストーリー。

恩田さんは、あとがきの中で『ジェニーの肖像』へのオマージュでもあると記している。

これも偶然なのだろうか？

実は私も、『ジェニーの肖像』へのオマージュとして「時尼《じにい》に関する覚え書」という作品を書いたことがある。短篇だが、ジェニーへの思い入れは誰にも負けないと思っていた。

そして、ここに、やはり、『ジェニーの肖像』にオマージュを捧げた作品が存在する。

「エアハート嬢の到着」は、まさに、『ジェニーの肖像』のオープニングと重なる。輪廻するハンカチというタイムパラドックスに欠かせないガジェットも使われる。そして、もう一つ連想したのは、私の大好きな映画「シベールの日曜日」だ。

「記憶」で語られるニュアンスはロバート・ヤングの「たんぽぽ娘」と比較したい。そして、なんと結末では、「たんぽぽ娘」の強引さと比較して「うまい」「無理がない」「迎えるべき予定調和」なのである。

残りの三作についても感嘆する。まるでムソルグスキーの「展覧会の絵」のような構成だ。そして、どの作品にも感じる、なつかしさ。

このなつかしさこそ……幼い日に橋の下で別れた女の子がもたらしてくれたそれではなかったか。再読して、またしても、そんな妄念が湧《わ》きあがってきた。

著者略歴でちがうということは確認できたではないか。

いや、ひょっとして。

誰にも拾われず幼くして果てた女の子が、転生して、同じ魂を持って生を受けたのであれば。

本書を読んだ後であれば、そんな妄想も許されるはずだ。
そうでしょう！　ソウル・シスター！

（二〇〇三年十一月、作家）

この作品は平成十二年十二月新潮社より刊行された。

ライオンハート

新潮文庫　お－48－4

平成十六年二月一日発行
令和五年六月五日三十一刷

著者　恩《おん》田《だ》陸《りく》

発行者　佐藤隆信

発行所　株式会社 新潮社

郵便番号　一六二―八七一一
東京都新宿区矢来町七一
電話 編集部(〇三)三二六六―五四四〇
読者係(〇三)三二六六―五一一一
https://www.shinchosha.co.jp

価格はカバーに表示してあります。

乱丁・落丁本は、ご面倒ですが小社読者係宛ご送付ください。送料小社負担にてお取替えいたします。

印刷・大日本印刷株式会社　製本・加藤製本株式会社

ISBN978-4-10-123415-1 C0193